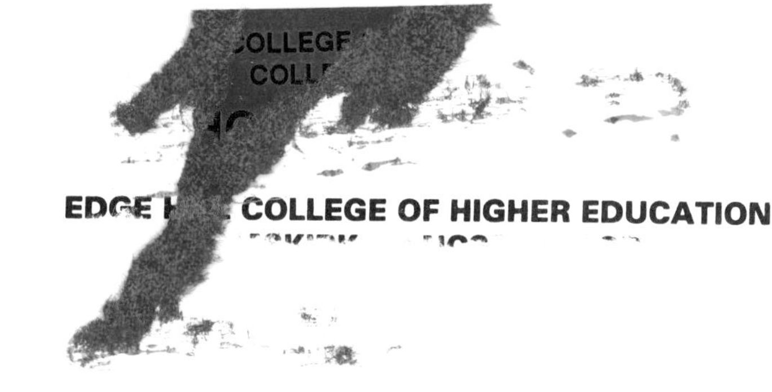

OUVERTURE

Valeurs Livre 2
Gagner sa vie

L120 course team

OU team

Ghislaine Adams *(course manager)*
Ann Breeds *(course secretary)*
Joan Carty *(liaison librarian)*
Tina Cogdell *(print buying co-ordinator)*
Jonathan Davies *(design group co-ordinator)*
Jane Duffield *(project controller)*
Tony Duggan *(project controller)*
Kevin Firth *(team member/author)*
Janis Gilbert *(graphic artist)*
David Hare *(team member/author)*
Pam Higgins *(designer)*
Angela Jamieson *(BBC producer)*
Marie-Noëlle Lamy *(course team chair/author)*
Kate Laughton *(editor)*
Mike Levers *(photographer)*
Ruth McCracken *(reading member)*
Reginald Melton *(IET)*
Hélène Mulphin *(team member/author)*
Jenny Ollerenshaw *(team member/author)*
Margaret Selby *(course secretary)*
Anne Stevens *(reading member)*
Betty Talks *(BBC series producer)*
Betty Turner *(print buying controller)*
Penny Vine *(BBC producer)*

External assessor

Professor Samuel Taylor (Department of French, University of St Andrews)

External consultants

Authors who contributed to the writing of the materials were: Martyn Bird; Lucile Ducroquet; Brigitte Guénier; Rod Hares; Hélène Lewis; Sandra Truscott.

Critical readers were: Lucette Barbarin; Malcolm Bower; Brian Page; John Pettit; Richard Tuffs. Bob Powell was the language adviser.

Supplementary picture and text research by Pierrick Picot. Proofs read by Danièle Bourdais.

Developmental testing

The course team would like to thank all those people involved in testing the course materials. Their comments have been invaluable in the preparation of the course.

The Open University, Walton Hall, Milton Keynes MK7 6AA

First published 1995

Edited by Learning Materials Design

Designed and typeset by the Open University

Printed and bound in Great Britain by Butler & Tanner Ltd, Frome and London

ISBN 0 7492 6251 6

This text forms part of an Open University course. If you would like a copy of *Studying with the Open University* or more information on Open University language materials, please write to the Central Enquiry Service, P.O. Box 200, The Open University, Walton Hall, Milton Keynes MK7 6YZ.

1.1

L120-L501val2i1.1

Contents

Introduction

The situations you encounter in this book will introduce you to some of the key issues that affect how you earn your living (*gagner sa vie*). In the first section, *Professions et salaires,* you will hear people talking about what they do and how much they earn. You will then hear explanations of some of the factors that dictate salary, such as education and qualifications, and hear accounts of the difference between the earnings of men and women.

Section 2, *Les relations sociales,* considers another work-related issue that can give rise to strong emotions. You will find out about the work of a *comité d'entreprise* and of the trade unions, and hear an account of a confrontation between management and unions that resulted in a bitter strike.

For many people the most important work-related issue is unemployment. Section 3, *Chômage et embauche,* contains a first-hand account of the experience of unemployment. You will also see some of the practical ways in which the French employment agency, the ANPE (*Agence Nationale Pour l'Emploi*) helps people to find jobs.

As you work through these topics, you will be developing your ability to understand authentic spoken and written French. In addition, you will learn how to present information and arguments, how to use the future tense, and the specific skill of summarizing. You will also find out how to write a letter of application and how to prepare for an interview.

The Feature Cassette for this book contains fictional job interviews by two very different characters. You could listen to it at any time but you will get most out of it if you wait until you have done the work on 'finding a job', towards the end of Section 3. You can listen to the interviews and decide who you would give the job to.

1 Professions et salaires

STUDY CHART

	Topic	Activity/timing	Audio/video	Key points
5 hrs	1.1 Les salaires	1 (20 mins)	Video	Saying what people earn
		2 (10 mins)	Video	Talking about jobs and salaries
		3 (10 mins)	Audio	
		4 (10 mins)	Audio	Pronunciation: [s] or [z]
		5 (10 mins)	Audio	Talking about your job
		6 (20 mins)	Video	Talking about your studies
		7 (10 mins)		
		8 (15 mins)		Using the future tense of regular verbs
		9 (15 mins)	Audio	Using the future tense of common irregular verbs
		10 (10 mins)	Audio	
		11 (10 mins)		Using *si* to express possibilities
		12 (10 mins)		Stating whether something is easy or difficult
		13 (15 mins)	Video	Vocabulary: jobs
		14 (20 mins)	Video	Understanding some factors governing salaries in France
		15 (20 mins)		Reading a humorous account of a teacher's experience with his pay slip
		16 (20 mins)		

	Topic	Activity/timing	Audio/video	Key points
2 hrs 30 mins	*1.2 Les catégories professionnelles*	17 (30 mins)		Vocabulary: jobs
		18 (10 mins)	Audio	Giving definitions
		19 (20 mins)		
		20 (20 mins)		Understanding a press article about retraining
		21 (20 mins)		Summarizing
3 hrs 30 mins	*1.3 Les salaires des femmes*	22 (10 mins)	Audio	Understanding a woman's account of why women are underpaid
		23 (20 mins)	Audio	Summarizing
		24 (40 mins)		Understanding a press article comparing men and women's pay
		25 (10 mins)		Recognizing demonstrative pronouns
		26 (10 mins)		Presenting information
		27 (10 mins)		Working out statistics from a press article (optional activity)
		28 (20 mins)		Summarizing
		29 (5 mins)	Audio	Preparation for listening
		30 (15 mins)	Audio	Understanding an anecdote about pay discrimination
		31 (15 mins)		Revision

In this section you will focus on jobs and salaries. In *Les salaires* you will hear a number of people talking about the money they earn, and whether they are satisfied with their income. You will also hear a student saying what he thinks his job prospects are and you will learn something of the factors which determine pay. Then, in *Les catégories professionnelles*, we look at different categories of working people in France and what the various qualifications and responsibilities are. Finally, in *Les salaires des femmes*, you will be asked to consider the question of sexual discrimination at work.

By the time you have completed this section you will have learned a number of words and expressions to do with the world of employment and you will be able to talk about income and some of the factors which govern it.

1.1 Les salaires

Vous gagnez bien votre vie?

In this first video sequence you hear four people talking about their income and whether they are satisfied with the money they earn.

The purpose of *Activité 1* is to enable you to understand people talking about numbers and to practise using numbers yourself. You will also practise putting in the appropriate link phrases when conveying information.

Activité 1
20 MINUTES
VIDEO

1 Tout d'abord, regardez une seule fois la séquence 'Vous gagnez bien votre vie?' (20:48–25:00). N'essayez pas de comprendre absolument tout ce qu'on dit, mais cherchez plutôt les indications visuelles susceptibles de vous aider à répondre aux questions suivantes:

(a) De quel travail s'agit-il?

(b) Est-ce un travail bien payé ou non?

Il n'y a pas de corrigé pour cette partie de l'activité. La suite vous permettra de vérifier si vos réponses sont correctes.

Pour vous aider

je suis stagiaire I'm on a work placement (*stagiaire* also means 'trainee')

si j'étais salarié if I was an employee

le SMIC the minimum wage *(Salaire Minimum Interprofessionel de Croissance)*

2 Regardez la séquence une deuxième fois. Cette fois, vous allez vous concentrer sur le salaire que gagne chaque personne. Lisez les phrases suivantes et cochez la case qui correspond à ce que vous avez compris.

(a) Philippe gagne:

1 600 francs par mois ❑

1 500 francs par mois ❑

1 800 francs par mois ❑

(b) Colette touche:

un gros salaire ❑

un salaire moyen ❑

un petit salaire ❑

(c) Christine gagne:

5 000 francs par mois ❑

6 000 francs par mois ❑

7 000 francs par mois ❑

(d) Jean-Jacques gagne:

20 000 francs par mois ❑

40 000 francs par mois ❑

100 000 francs par mois ❑

3 Maintenant, répétez cette information vous-même à haute voix en utilisant le modèle: 'Philippe, qui est stagiaire, gagne...'

4 Finalement, répétez ces informations dans l'ordre suivant et en ajoutant les mots de liaison indiqués.

Colette, qui ________________, ____________________

__________, mais Christine, qui ________________, __________

__________________________. Par contre, Philippe, qui ______

____________, ______________________________________.

Enfin, Jean-Jacques, qui _______________, ________________

__________________________.

The next *activité* is based on the same video sequence and is designed to help you understand people expressing an opinion. You may not be able to understand everything that is said, but if you look at the vocabulary we give you below, and read through the questions carefully first, you should be able to get the gist.

Activité 2

10 MINUTES

VIDEO

1 Lisez les phrases suivantes avant de regarder la séquence une nouvelle fois (20:48–25:00). Ne cochez rien pour le moment.

	Vrai	*Faux*
(a) Philippe, qui est stagiaire, est beaucoup moins payé que s'il était salarié.	❑	❑
(b) Il estime qu'il est mal payé.	❑	❑
(c) En plus du SMIC, Colette a un logement de fonction.	❑	❑
(d) Elle trouve que, vu les heures qu'elle fait, elle n'est pas bien payée.	❑	❑
(e) Christine trouve que son salaire n'est pas vraiment suffisant.	❑	❑
(f) Le métier de jockey est très bien rémunéré.	❑	❑
(g) Même les mauvais jockeys gagnent beaucoup.	❑	❑
(h) Jean-Jacques considère que son salaire est insuffisant, voire impossible.	❑	❑
(i) Seule Colette n'est pas satisfaite de son salaire.	❑	❑

Pour vous aider

c'est normal que je sois moins payé it's only right that I should be paid less

le logement de fonction accommodation that goes with the job

c'est pas vraiment payé it's not well paid, really

tant que ça? as much as that?

on tourne à 27 000 we get around 27,000 (*francs*)

voire (perhaps) even

2 Maintenant regardez la séquence encore une fois et cochez les cases 'Vrai' ou 'Faux' au fur et à mesure. Puis expliquez pourquoi vous avez coché 'Faux' pour certaines phrases.

Talking about jobs and salaries

In the video extract you saw four people:

Philippe: il est stagiaire.

Colette: elle est éclusière.

Christine: elle est ouvrière.

Jean-Jacques: il est jockey.

Did you manage to work out what they all do? Perhaps the only one who might have caused difficulty is Philippe – he's on a placement (*il fait un stage*), so he hasn't really got a profession yet. Colette's job might seem a little unusual, but remember that the French canal system is far more extensive and heavily used for both commercial and pleasure activities than Britain's, and there is then a much greater demand for lock keepers.

Notice that the names of two of these professions are in their feminine form; a male worker would be *un ouvrier* and a male lock keeper would be *un éclusier*. Of the other two, *stagiaire* only has one form but it is both masculine and feminine. *Jockey* on the other hand is a masculine noun and *un jockey* applies to both male and female riders. If you need to specify that the jockey is a woman, you would say *une femme jockey*.

Remember that if you want to say what you do for a living, you do it like this:

> Je suis ouvrière.
>
> Je suis jockey.

You can see that there is no equivalent of the English word 'a' or 'an' as in 'I am a worker', 'I am an architect'.

When Philippe is asked how much he earns a month, he replies:

> Je gagne 1 500 francs par mois.

In France, salaries are almost always quoted as a monthly figure, whereas in Britain they may be quoted as a weekly or an annual figure.

Notice that *gagner* has at least two possible meanings: 'to earn' and 'to win'. When Jean-Jacques, the jockey, uses this verb he deliberately uses it in both senses – *pour gagner, il faut gagner!*

The next *activité* is designed to get you to talk about jobs and salaries. Since we don't know whether you work or what your salary is, we are going to ask you to pretend to be different people doing different jobs and earning different salaries.

Activité 3

10 MINUTES

AUDIO 1

1 Étudiez ci-dessous les salaires en francs par mois de plusieurs professions.

Professions	*Salaires*
secrétaires	8 500 francs
dentistes	39 400 francs
professeurs d'anglais	24 300 francs
comptables	11 300 francs

2 Écoutez l'Extrait 1, où une enquêtrice vous pose des questions sur les professions et les salaires de la liste que vous venez de lire. Répondez de la façon indiquée.

Pronunciation: 'dessert' or 'désert'

The distinction between the pronunciation of these two words illustrates a point that frequently causes problems. The double 's' in *le dessert* (the final course of a meal) is pronounced [s] whereas the single 's' in *le désert* (an arid region) is pronounced as [z].

The general rule is that a double 's' is always pronounced [s], as in:

po**ss**éder [pɔsede]

A single 's', however, is pronounced [z] when it is found between two vowels, as in:

sai**s**on [sɛzɔ̃]

In other situations, such as when it is found between a vowel and a consonant, or when it is the first letter of a word, 's' is pronounced [s], as in:

conver**s**ation [kɔ̃vɛrsɑsjɔ̃], or **s**el [sɛl]

The following *activité* will help you familiarize yourself with this rule.

Activité 4

10 MINUTES

AUDIO 2

1 Lisez les phrases suivantes et appliquez la règle que vous venez d'apprendre pour décider comment il faut les prononcer.

(a) Comme dessert, j'ai mangé une glace.

(b) Elle a traversé le désert en trois semaines.

(c) Il révisait beaucoup afin de réussir à ses examens.

(d) Ils ont regardé la version anglaise du film.

(e) Il va chercher les enfants et il les ramène à la maison.

(f) Son sarcasme était insupportable.

(g) Je suis désolé(e).

(h) Ce dessin de Picasso était sa possession préférée.

2 Maintenant, écoutez l'Extrait 2 et pratiquez la prononciation de ces phrases.

Expressing satisfaction

In the video extract from *Activité 1*, Christine and Jean-Jacques used two or three different expressions in order to say that they were quite satisfied with their level of income:

Christine	Je trouve que bon, **ça va. Ça me va, ça me convient**.
Jean-Jacques	Oui, **ça va...**

Of these, the most common and informal is *ça va* which is approximately equivalent to the English 'OK' or 'all right'. It can be used either as a question, *ça va?* (is it all right?/are things OK?) or as a statement. You can vary it a little by saying *ça me va* (it suits me, it's all right with me). Slightly more formal is *ça me convient* (it suits me). You can also modify the sense of what you are saying by adding, for example, *très bien* or *parfaitement*. So you might want to say *oui, ça me va très bien* or *ça me convient parfaitement*.

Expressing an opinion

Christine was also concerned to emphasize that what she was saying about her salary was her personal point of view which might not be the same as that of her colleagues.

À mon point de vue, oui.

She went on to stress the personal nature of her view by starting her statement with *moi*:

Moi, je suis dans cette deuxième catégorie.

She added another useful expression:

Je trouve que bon, ça va.

To this we could add a further, slightly more formal, expression from something the interviewer says:

Estimez-vous que vous êtes bien payée?

Christine's reply might have been something like: *Oui, j'estime que je suis très bien payée.*

The next *activité* is designed to enable you to talk a little more extensively about jobs and salaries. It will also give you practice at expressing satisfaction.

Activité 5

10 MINUTES

AUDIO 3

Imaginez que vous êtes attaché(e) de presse (press officer) et que vous êtes interviewé(e) pour un article sur les salaires et sur le niveau de satisfaction des salariés. Écoutez l'Extrait 3 sur votre cassette et répondez dans les intervalles selon les indications en anglais.

- Je peux vous poser quelques questions pour notre enquête?
- (Go ahead.)
- D'abord, que faites-vous dans la vie?
- (I'm a press officer.)
- Très bien. Je peux vous demander votre salaire?
- (I get 25,000 francs net a month.)
- Merci. Vous trouvez que vous êtes bien payé(e)?
- (In my opinion, yes. But it's always a very personal thing.)
- Bien sûr. Mais vous, personnellement, vous estimez que c'est suffisant?
- (Yes, it's OK, it suits me.)
- Merci beaucoup.

Projets d'avenir

In this second, rather longer video sequence, you will hear Philippe talking about his studies, about the work he is doing during his industrial placement and about his plans for the future (*ses projets d'avenir*).

In the course of studying this sequence, you will learn vocabulary which will enable you to talk about your studies, and you will also learn a new way of talking about the future.

In the next *activité* you will be identifying specific details from the video sequence.

Activité 6

20 MINUTES

VIDEO

1 Avant de regarder la séquence, trouvez dans la colonne de droite l'équivalent anglais des mots et expressions de la colonne de gauche.

je suis étudiant	I'm studying computing
école de commerce	job opportunities
je fais du droit	physiotherapists
je fais de l'informatique	a work placement
un stage	business school
une étude de marché	I'm a student
kinésithérapeutes	chartered accountants
experts-comptables	a market study
débouchés	I'm studying law

2 Regardez la séquence 'Projets d'avenir' (25:10–28:08) et arrêtez la bande de temps en temps afin de remplir, au nom de Philippe, la fiche de stage ci-dessous.

Nom:	Philippe Degorce
Établissement:	école de commerce à Angers
Âge:	
Disciplines étudiées:	
Stage effectué dans:	
Activité de stage:	
Personnes interrogées:	
Objectif des questions:	
Intentions pour l'année prochaine:	
Salaire bac + 4:	

Pour vous aider

la comptabilité accounting

les professions libérales the professions (A clearly defined group of professions in France which broadly encompasses the medical and legal professions, plus accountants, architects and insurance agents – it does not include teachers.)

quand on sort de l'ESCA when one leaves the ESCA (*École Supérieure de Commerce d'Angers*)

le bac plus quatre ans four years of higher education after the *bac* (Indicates the academic level that someone has reached, often written *bac* + 4. If they have studied for three years after the *bac*, it is *bac* + 3.)

un domaine an area (for example, of study, of work)

3 Maintenant que vous avez compris l'essentiel de ce que dit Philippe sur ses projets d'avenir, vous pouvez répondre en français aux questions suivantes (une seule phrase par question suffit).

(a) Où est-ce que Philippe est étudiant?

(b) Quel âge a-t-il?

(c) Combien de disciplines étudie-t-il?

(d) Philippe est-il en troisième année?

(e) Son étude de marché se fait sur plusieurs professions. Pouvez-vous en citer quatre?

(f) Qu'est-ce qu'il essaie de trouver?

(g) Après avoir fini ses études, c'est-à-dire après son stage, qu'est-ce qu'il veut faire?

(h) En général, si on sort d'une école de commerce après quatre ans d'études, on commence à quel salaire?

(i) Que pense Philippe du salaire qu'il va gagner?

(j) S'il fait une année supplémentaire de spécialisation, comme il le prévoit, quel sera l'avantage pour lui?

Talking about your studies

In the first part of the extract Philippe tells us that he is a student (*je suis étudiant*) and then goes on to tell us what he is studying. Did you notice the two different verbs he uses – *étudier* and *faire*?

> Alors, dans cette école, j'étudie donc. Je fais du droit, je fais de l'informatique, je fais des langues aussi, je fais du marketing, je fais aussi... de la communication et de la comptabilité.

Notice that with *faire* Philippe uses *du, de l', des,* or *de la.* (If you aren't clear about the rule for these words, have a look at pages 21–2 in your Grammar Book.) With *étudier*, however, you have to use the definite articles *le, l', la* and *les*: *j'étudie le droit, il étudie l'arabe, elle étudie la géographie, nous étudions les langues étrangères. Étudier* is more formal than *faire.* The next *activité* is a speaking exercise in which you will practise using *faire* in order to explain to someone the subjects you are studying. If possible, try recording your answers to this *activité* and then listen carefully to what you have said.

Activité 7
10 MINUTES

Voici les noms de quatre étudiants et les matières qu'ils étudient. Jouez à haute voix le rôle de chaque étudiant l'un après l'autre: présentez-vous, expliquez que vous êtes étudiant(e) et dites ce que vous étudiez. Avant de commencer, vous pouvez regarder encore une fois, si vous voulez, le début de l'extrait où Philippe nous explique ce qu'il étudie.

Jean-Pierre	le marketing, l'informatique, la comptabilité
Françoise	l'anglais, l'allemand, la communication
Paul	le droit, la gestion, l'économie
Marie-Hélène	la communication, la gestion de personnel, les relations publiques

Modèle
Bonjour, je m'appelle Christophe. Je suis étudiant. Je fais du droit et de la comptabilité, et j'étudie aussi l'informatique.

Talking about the future – regular verbs

You may remember a very frequently used way of talking about the future using *aller* plus an infinitive:

Je vais travailler toute la nuit.
I'm going to work all night.

Elle va commencer lundi.
She'll start on Monday.

However, there is another way of talking about what you are going to do, which involves using the future tense of the verb concerned. In contrast with the aller + infinitive structure above, the use of the future tense expresses the speaker's feeling that the intention to perform the future action is rather more definite. To find out how to form and use the future tense of regular verbs look at pages 93 and 120 in your Grammar Book. As you can see, if we put the two examples given in the previous paragraph into the future tense, they become *je travaillerai toute la nuit* and *elle commencera lundi.*

In the next *activité* you are going to practise using the future tense instead of *aller* + an infinitive. Note that the tone of the text will then change from conversational to more formal and predictive.

Activité 8

15 MINUTES

1 Lisez cet extrait d'une lettre écrite par le père de Jean-Paul à un ami.

> Jean-Paul vient de passer son bac et, si tout va bien, il **va commencer** ses études à l'École Supérieure de Commerce d'Angers en septembre. Par contre, ses deux amis **vont passer** une année en Allemagne pour perfectionner leur allemand. Jean-Paul me dit qu'il **va mettre** l'accent sur les études de gestion. En première année, il **va étudier** le droit, l'informatique et l'anglais. En deuxième et troisième année, il **va continuer** ces matières, mais il **va** aussi **étudier** le marketing, la communication et la comptabilité. En quatrième année, il **va** sûrement **trouver** un stage et il **va réaliser** un projet de marketing. C'est quelqu'un de très sérieux et il **va réussir**, ça c'est sûr. Il **va gagner** beaucoup d'argent.

Pour vous aider

vient de passer son bac has just taken his *bac*

mettre l'accent sur to place the emphasis on

les études de gestion management studies

c'est quelqu'un de très sérieux he's very conscientious

2 Maintenant, remplacez les verbes en gras par le futur qui convient.

3 Imaginez maintenant que c'est Jean-Paul lui-même qui parle. Réécrivez tout le texte, en commençant ainsi:

> Je viens de passer mon bac, et si tout va bien, je commencerai mes études...

4 Après avoir fini et vérifié vos réponses dans le corrigé, lisez à haute voix ce que vous avez écrit.

Talking about the future – irregular verbs

With some irregular verbs the future tense endings are not added to the infinitive but to a special form of the verb. For example, the verb *avoir* forms its future by attaching the endings to *aur–* : *j'aurai, il aura, nous aurons,* etc. The only way to learn what these future forms are is to memorize them. Look in your Grammar Book (pages 160–88) and make a note in your dossier of the verbs with an irregular future form.

The aim of the next *activités* is to enable you to become familiar with the future tense of some of the common irregular verbs. In *Activité 10* you will be taking part in a conversation about several people's plans for the future. Go through the conversation several times and try to make your pronunciation as close as possible to that given on the tape.

Activité 9

15 MINUTES

AUDIO 4

Écoutez sur la cassette le dialogue qui suit (Extrait 4) et remplissez les blancs.

Jean-Philippe	Mon père dit qu'il _______ en Australie l'année prochaine, et mon frère et moi _______ avec lui.
Isabelle	Ah bon! Vous _______ à Sydney?
Jean-Philippe	Oui. Pourquoi?
Isabelle	C'est que mes parents ont des cousins là-bas. Tu penses que ton père __________ aller les voir?
Jean-Philippe	Mais bien sûr. Ils habitent à Sydney même?
Isabelle	Non, non. Ils habitent à une vingtaine de kilomètres, à Campbelltown.
Jean-Philippe	Ça ne fait rien. Il _______ un petit détour.
Isabelle	Il paraît que c'est un peu difficile à trouver, mais je pense que vous __________ bien le trouver.
Jean-Philippe	Oh oui.
Isabelle	Vous avez de la chance! Vous ___________ l'Opéra de Sidney. On dit qu'il est magnifique. L'année prochaine, si j'ai assez d'argent, j'_______ moi aussi en Australie.
Jean-Philippe	Pourquoi pas? Tu __________ assez de temps libre?
Isabelle	Oh oui. Je __________ prendre au moins trois semaines de vacances.

Activité 10

10 MINUTES

AUDIO 5

Vous allez participer à une conversation (Extrait 5) où l'on parle des projets d'avenir de plusieurs personnes. Répondez aux questions selon les suggestions données en anglais.

Using 'si' to express possibilities

When talking about his future prospects, Philippe says:

Si je fais mon année en plus... je pourrai être payé un peu plus.

Notice that the verb with *si* is in the present tense, whereas the main verb is in the future tense. Philippe might also have said:

Si je suis reçu à mon examen, je trouverai un poste intéressant.

or perhaps:

Si on me renvoie les questionnaires, j'analyserai les résultats.

Don't forget that, as in English, the two halves of the sentence can just as easily be in reverse order:

Je pourrai être payé un peu plus, si je fais mon année en plus.

or again:

Je trouverai un poste intéressant, si je suis reçu à mon examen.

In the next *activité* you will practise expressing possibilities by writing about your (actual or imagined) future prospects.

Activité 11

10 MINUTES

1 Complétez par écrit les phrases suivantes en vous servant des mots donnés entre parenthèses.

(a) Si je réussis mes études (gagner plus d'argent).

(b) Si je trouve un emploi (acheter une voiture).

(c) Si j'ai assez de temps libre l'année prochaine (faire plus de sport).

(d) S'il est fâché avec vous (lui parler cet après-midi – *use* je).

Modèle

Si je passe mon bac (aller à la faculté).

Si je passe mon bac, j'irai à la faculté.

2 Voici une liste de conditions et une liste de possibilités. Écrivez une phrase pour chacune des conditions (b) à (e), comme nous l'avons fait pour (a).

Conditions	***Possibilités***
(a) faire des langues	trouver un emploi à l'étranger
(b) trouver un stage	pouvoir finir mes études
(c) faire des économies	pouvoir partir en vacances
(d) finir mes études	faire une année de spécialisation
(e) faire une année de spécialisation	trouver un travail bien rémunéré

Modèle
(a) Si je fais des langues, je trouverai un emploi à l'étranger.

3 Maintenant à vous. Écrivez cinq phrases exprimant vos possibilités futures.

Using 'de' after an adjective

Towards the end of the second video extract Philippe talks about something as being easy or not easy:

C'est pas très facile de savoir combien je gagnerai...

Ça sera assez facile pour moi de trouver un métier...

These two expressions follow the same pattern:

ce + *être* + *facile* + *de* + infinitive

The same pattern can be used with a different adjective such as *difficile*:

C'est difficile de trouver un travail intéressant.

Ce ne sera pas très difficile pour moi de finir mes études.

In this next *activité* you will practise using this construction to indicate whether something is easy or difficult.

Activité 12
10 MINUTES

Écrivez une réponse à chacune des questions suivantes. Répondez selon le modèle.

1 Étudier deux langues en même temps ne sera pas trop difficile?

2 Faire du droit c'est difficile, non?

3 Trouver un stage n'est pas toujours très facile?

4 Analyser les résultats sera facile?

5 Faire une année de spécialisation sera difficile?

Modèle

– Faire de la communication c'est facile, non?

– Oui, c'est facile de faire de la communication.

Payés pour quoi faire?

In the final video sequence in this section you will watch several people working at various jobs while the commentary highlights some points of interest regarding working conditions, job security, responsibilities and so on.

In the course of studying this sequence you will learn some key vocabulary relating to the job market. Quite a lot of this vocabulary may be new to you, but you will be able to work out the meaning of some of the words from the visual information on the screen, and some you will be able to guess from other clues. *Activité 13* will test your comprehension of these words and phrases. In *Activité 14* you will work on the soundtrack in more detail.

Activité 13

15 MINUTES

VIDEO

1 Regardez la séquence 'Payés pour quoi faire?' (28:12–33:26). Concentrez-vous bien sur les images: elles vous donnent des renseignements importants.

2 Voici des mots et expressions que vous avez entendus dans la séquence. Sans les chercher dans votre dictionnaire, essayez de donner le sens de chacun en anglais.

un fonctionnaire

le secteur privé

le travail à la chaîne

un salaire assez élevé

le travail en plein air

un ouvrier saisonnier

une entreprise sablière

manier un engin

l'entraînement

Activité 14

20 MINUTES

VIDEO

1 D'abord, lisez les phrases suivantes où nous avons laissé des trous.

(a) Les agents de police sont ______________________ : ils jouissent d'une grande ______________________ .

(b) Pour le facteur, la ____________ est un ________ important.

(c) Le boulanger exerce un métier très dur. Mais il ______________________ et il a la satisfaction de ______________________ .

(d) Le viticulteur pense qu'il exerce un ______________________ – un métier qu'il a ________ de son père.

(e) Le travail à la chaîne demande ______________________ .

(f) Le travail en plein air demande ______________________ .

(g) C'est le ______________________ qui vérifie les quantités de sable.

(h) Le travail de jockey ________ beaucoup d'entraînement et ______________ .

Pour vous aider

ils jouissent d'une grande sécurité de l'emploi they enjoy great job security

la satisfaction de gérer sa propre entreprise the satisfaction of running his own business

d'autres compétences other skills

le PDG the chairman and managing director *(Président-Directeur Général)*

2 Regardez la séquence encore une fois (28:12–33:26), et remplissez les trous des phrases ci-dessus en utilisant les expressions qui se trouvent dans l'encadré. Attention, un trou peut contenir plus d'un mot.

routine
gagne bien sa vie
PDG de l'entreprise
gérer sa propre entreprise
sécurité de l'emploi
fonctionnaires
élément
métier intéressant, passionnant même
d'autres compétences
appris
une certaine concentration – malgré sa monotonie
exige
beaucoup de talent

Cœur de prof

To round off this first section we have a short extract from a book written by a highly-paid company executive who spent a sabbatical year teaching in a *lycée*. In this extract the writer highlights the question of low pay for teachers, with a humorous account of how he received his first pay slip.

In studying this passage you will practise your reading skills. You'll be looking to achieve a general understanding of what the text is about and to understand the stylistic techniques used by the author. This will help to prepare you for the structured reading to be undertaken later in Book 3 of *Valeurs*.

The next *activité* will develop your understanding of the passage. Note that the author uses *vous*, when in fact he is referring to himself, thus associating the reader more closely with his misfortunes.

Activité 15

20 MINUTES

1 Lisez une première fois le texte de la page suivante.

Voici plus de deux mois que vous travaillez consciencieusement, mais vous n'avez toujours reçu aucun virement de salaire. Vous vous demandez si vous êtes bien enregistré sur les fichiers de l'Education nationale. Vous attendez patiemment jusqu'au jour où votre femme, ayant ouvert avant vous le courrier, pousse une exclamation réjouie :

— Tiens ! le percepteur doit t'envoyer un remboursement d'impôt. Nous recevons un virement du Trésor public de 4 200 francs.

Vous n'êtes pas le genre de type à bénéficier de ce genre de cadeau de la part du percepteur. Vous prenez l'enveloppe des mains de votre épouse et vous constatez que cette somme est votre premier acompte sur salaire. Elle représente les deux tiers de votre rémunération nette mensuelle de maître-auxiliaire.

Votre femme, qui a beaucoup d'intuition et qui calcule ce jour-là plus vite qu'un professeur d'arithmétique, vous fait la réflexion désobligeante que vous n'attendiez pas :

— Il n'y a pas besoin d'avoir fait Polytechnique pour en arriver là ! Tu travailles plus de soixante-dix heures par semaine, et tu n'as pas la paie d'un chauffeur d'autobus. Même ma femme de ménage est mieux payée que toi.

Vous vérifiez mentalement qu'elle ne se trompe pas dans la division du salaire par les heures. Hélas ! elle a raison. Votre salaire horaire réel est inférieur à celui d'une employée de maison. Ce qui vous chagrine le plus, c'est que vous lui aviez promis, dans un moment d'euphorie, qu'en contrepartie de ce maigre salaire vous seriez tout à elle :

— Tu verras, ce seront tes vacances à toi ! Tu vas vivre une année merveilleuse.

Vous lui aviez laissé croire que vous alliez faire le ménage, passer l'aspirateur, préparer les dîners, faire manger les enfants, puisque vous alliez avoir du temps comme jamais vous n'en aviez eu !

C'est tout le contraire qui arrive. Vous êtes totalement absent mentalement. Vous salissez la maison en éparpillant les copies des élèves dans votre appartement, et vous supportez de plus en plus mal vos propres enfants quand ils vous demandent un petit service. Vous réfléchissez et vous finissez par vous étonner. Qu'est-ce que vous faites sur une estrade pour 6 000 balles par mois, alors que vous pourriez conduire effectivement un autobus en y prenant du plaisir ?

(*Cœur de Prof*, 1991, pp. 103–4)

Pour vous aider

virement de salaire salary payment (into a bank account)

les fichiers de l'Éducation Nationale the files of the Ministry of Education

le percepteur the tax inspector

un remboursement d'impôt a tax refund

le genre de type the sort of bloke (*un type* is an informal synonym for *un homme*)

votre premier acompte sur salaire an advance on your first month's salary

d'avoir fait Polytechnique to have studied at the *École Polytechnique* (one of the prestigious *Grandes Écoles* which train future managers, top executives and senior civil servants)

en contrepartie de as a compensation for

vous seriez... you would be...

sur une estrade in a classroom (*une estrade* is the low platform at the front of a classroom from which teachers deliver their lessons)

6 000 balles 6 000 francs (*balle* is a slang word meaning *franc*)

vous pourriez... you could...

2 Lisez les questions suivantes et relisez le texte.

(a) How long had the writer been working without receiving any salary?

(b) On the day in question, who opened the post?

(c) What was the first reaction to opening the envelope?

(d) What did the sum mentioned in the letter represent in fact?

(e) How many hours a week does the writer work?

(f) How well is he paid?

(g) What were the advantages which he thought he would gain from becoming a schoolteacher?

(h) Was he right in his assumptions? Why or why not?

(i) What is the writer's final thought?

3 Et maintenant, répondez en anglais aux questions (a) à (i).

The next *activité* focuses on some of the style features, particularly humorous techniques, that are used by the author of the text you have just read.

Activité 16
20 MINUTES

1 Lisez le texte encore une fois, mais cette fois vous allez essayer de repérer quelques-unes des techniques qu'utilise l'auteur pour nous faire sourire ou pour exprimer sa propre attitude devant la situation. Répondez aux questions suivantes en anglais.

(a) The text is mainly written in which tense? Why do you think this is done?

(b) What's the attitude of the author's wife and what's his attitude to her?

(c) Does the text include any dialogue?

2 Maintenant, analysez le texte plus en détail, et trouvez les exemples qui correspondent aux notes ci-dessous. Commentez ces exemples en anglais.

lines 1–7:	two ways of emphasizing, involving *voici* and *bien*
lines 8–16:	comic contrast between supposition and fact
lines 15–20:	humorous exaggeration containing a comparison
lines 21–29:	another example of comic contrast comparing hours and pay
lines 26–32:	a way of emphasizing using *c'est*
lines 33–38:	an example of unusual word order
lines 45–48:	explain the humour of the final sentence

1.2 Les catégories professionnelles

We begin this topic with an examination of the hierarchy of jobs in *La qualification en France*. With *Les cadres*, we then listen to an audio extract in which three people give their personal definition of what a *cadre* is, and we end with a short article from a magazine, *Le reconverti*, which tells how someone from modest beginnings was able, through his own efforts, to become a senior executive with a major company.

La qualification en France

We start with a short written text which explains the different categories of employee in France.

The *activité* associated with it gives you an opportunity to practise your reading comprehension skills.

Activité 17
30 MINUTES

1 Tout d'abord, lisez le texte suivant afin d'en saisir l'essentiel.

En France, beaucoup plus qu'en Grande-Bretagne, les différentes catégories de salariés sont classées selon un système bien défini. Cette classification a une influence primordiale sur le salaire, sur le statut et sur la retraite du salarié.

D'abord, il y a le manœuvre. C'est une personne sans qualifications occupant un poste qui ne demande pas, ou pratiquement pas, de formation. Les manœuvres sont, en général, parmi les travailleurs les moins bien payés en France. Bien souvent, ils ne gagnent que le SMIC.

Après le manœuvre, vient l'ouvrier spécialisé (on emploie souvent l'abréviation OS, même en parlant). C'est quelqu'un qui a une certaine formation professionnelle mais qui n'a pas, ou qui n'a pas encore, les compétences de l'ouvrier qualifié.

L'ouvrier qualifié, quant à lui, doit avoir le CAP (certificat d'aptitude professionnelle) comme minimum de qualification. Il faut dire que l'ouvrier qualifié d'aujourd'hui est de plus en plus souvent un technicien (voir ci-après).

Le nombre d'ouvriers, ou 'cols bleus', est en baisse par rapport à il y a une dizaine d'années. En effet, ils ne représentent plus qu'environ 30% de la population active française. La catégorie en hausse est celle des 'cols blancs'. Ceux-ci représentent actuellement plus de 60% de la population active et les catégories d'emplois comprennent les employés, les techniciens, les contremaîtres et les cadres.

L'employé(e) est celui ou celle qui fait un travail non-manuel et qui travaille donc dans un bureau, par exemple, ou dans une banque ou une administration. Quant aux techniciens, ce sont des spécialistes d'une certaine technique qui travaillent pour la plupart dans une entreprise de fabrication. Le contremaître est celui qui dirige une équipe d'ouvriers et en est responsable.

Le cadre, enfin, est quelqu'un qui a des responsabilités et qui, dans les limites de sa compétence, prend des décisions. C'est le plus haut niveau de la hiérarchie de l'emploi en France. Tout le monde, ou presque, aspire à devenir cadre. En effet, le cadre a droit à un salaire (et donc à une retraite) en rapport avec ses responsabilités. Mais surtout, être cadre implique un certain standing, un certain prestige, non seulement dans l'entreprise où on travaille, mais aussi dans la société.

Pour vous aider

primordiale major

le statut the status

la retraite the pension

cols bleus blue-collar workers

cols blancs white-collar workers

2 Maintenant, sans chercher dans le dictionnaire, donnez la traduction française de chacune des catégories de salariés au masculin et, si possible, au féminin.

an office worker

a semi-skilled worker

an executive

an unskilled worker

a foreman

a technician

a skilled worker

3 Enfin, répondez en anglais aux questions suivantes.

(a) Briefly describe recent changes in the relative numbers of blue-collar and white-collar workers.

(b) Why is it the ambition of many people to become *un cadre* ?

Les cadres

In this audio extract you will hear three people giving their definition of what *un cadre* is. You will learn from it a number of ways of defining things.

The first person you will hear is M. Lecocq who is *Chef du service information et communication* at the Nantes division of Aérospatiale. You will then hear from M. Engelvin, *un cadre* at Aérospatiale, and the final definition comes from M. Fonfrède who works for *l'Association pour l'emploi des Cadres* (APEC), an employment agency for *cadres.*

In this *activité* you will be concentrating on what they say and in particular how they present their definitions.

Les cadres

1 Écoutez l'Extrait 6 une première fois.

Pour vous aider

qui reçoit délégation de pouvoirs who has power delegated (to him or her)

la direction the management

pouvoir de gestion power to act in a management role

engager de l'argent to commit money

anime gives the lead

2 Maintenant, complétez les définitions ci-dessous en utilisant les mots entre parenthèses.

(a) Le cadre, c'est celui ou celle qui ... (recevoir; pouvoirs).

(b) Le cadre, c'est quelqu'un qui ... (communiquer; prendre).

(c) Le cadre, c'est un homme ou une femme de l'entreprise qui ... (responsabilités; gestion; animation).

Giving definitions

The first person interviewed on the tape says:

> Le cadre, c'est celui qui, ou celle qui reçoit délégation de pouvoirs...

Celui and *celle* are called demonstrative pronouns – in other words, they 'demonstrate' or indicate either someone in general, or someone who has already been mentioned. You need to be able to recognize them as they are used in many contexts but here they serve as the beginning of an explanation or definition such as you might be called upon to give if trying to explain what your job is. Look at pages 57–8 in your Grammar Book in order to see the different forms and how they are used.

In this particular example, 'the one' or 'someone' would not be chosen as translations since these words don't convey gender. We would probably say something like 'a manager is a man, or a woman, who has power delegated (to him or her)'. The plural forms (*ceux* and *celles*) might be translated in English as 'those' or perhaps just 'people'. If the gender is important as in the following example, the translation may be 'those men or women':

> *Ceux ou celles qui prennent des décisions...*
> Those men or women who take decisions...

Notice that in the first definition, the definite article *le* was used: le *cadre, c'est celui qui...* However, if the definition begins with the indefinite article *un(e)*, you shouldn't use the demonstrative pronouns. As an example of this, did you notice that the second person interviewed used *quelqu'un* (someone, somebody):

> C'est quelqu'un qui communique...

This is because he was replying to the question *qu'est-ce que qu'**un** cadre?* and his implied response therefore was *c'est quelqu'un qui...*

Now that you know how to use *celui, celle* and *quelqu'un* you can use them in order to give definitions. Here is a summary of the structures you can use:

> Le PDG, c'est celui qui, ou celle qui...
>
> Le contremaître, c'est quelqu'un qui...
>
> Un contremaître, c'est quelqu'un qui...
>
> Le cadre, c'est un homme ou une femme qui...
>
> Un cadre, c'est un homme ou une femme qui...

To these we could add another for variety:

> L'attaché de presse, c'est la personne qui...
>
> Un instituteur, c'est une personne qui...

In this next *activité* you will practise giving short definitions using these different phrases.

Activité 19

20 MINUTES

1 Imaginez que vous êtes interviewé(e) par un enquêteur qui vous demande de donner votre définition personnelle de certains types de travailleurs. Écrivez vos réponses selon les indications en anglais en utilisant les structures que vous venez d'apprendre.

Enquêteur	Qu'est-ce que c'est qu'un viticulteur?
Vous	(A winegrower is someone who makes wine.)
Enquêteur	Qu'est-ce que c'est qu'une ouvrière?
Vous	(A female worker is a woman who does a manual job.)
Enquêteur	Qu'est-ce que c'est qu'un facteur?
Vous	(A postman is a person who works for the post office and takes letters to people's houses.)
Enquêteur	Qu'est-ce que c'est qu'un boulanger?
Vous	(A baker is a man who makes bread.)
Enquêteur	Qu'est-ce que c'est qu'un stagiaire?
Vous	(A trainee is someone who does a training course.)

2 Maintenant, répondez aux questions suivantes de la même façon, mais ajoutez une courte phrase pour compléter vos définitions.

(a) Qu'est-ce que c'est qu'un ouvrier qualifié?

(b) Qu'est-ce que c'est qu'une employée?

(c) Qu'est-ce que c'est le PDG d'une entreprise?

(d) Qu'est-ce qu'un jockey?

Modèle

– Qu'est-ce que c'est qu'un instituteur?

– Un instituteur, c'est une personne qui enseigne dans une école primaire. Il s'occupe de jeunes enfants.

Le reconverti

This article from a business magazine tells in brief the unusual story of Roger Vidal who, from early beginnings as a miner, rose through his own efforts to become a senior executive with Hewlett-Packard-France.

You are going to use this text in order to practise summarizing, but first you have to understand what it says. The first *activité* therefore concentrates on reading for understanding.

Activité 20

20 MINUTES

1 Lisez le texte une première fois.

Le reconverti

A 17 ans, il était à la mine. A 33, « cadre et assimilé » chez Thomson. Aujourd'hui, Roger Vidal a 57 ans : il quitte dans trois ans son poste de directeur du laboratoire central de maintenance de Hewlett-Packard-France, où il est resté vingt-trois années. Soixante ingénieurs sous sa responsabilité, cinq ou six égaux dans la division service après-vente du groupe informatique américain. Un coup de grisou a décidé de son destin. A 24 ans, Roger Vidal a frôlé la mort. Enseveli, étouffé, seul au fond sous un éboulement de la mine. C'était en 1959, entre Albi et Carmaux... « J'ai décidé : plus jamais ça. » Le jeune Vidal avait déjà près de dix ans de mine, huit frères et sœurs derrière lui, et pour tout bagage un CAP d'ajusteur – non utilisé. Cours du soir, école par correspondance. Roger se lance dans le métier pour lequel, théoriquement, il n'est absolument pas fait : l'électronique. Les tests psychotechniques ont été formels : inapte! Maintenant encore, l'ancien mineur, devenu expert en instrumentation de mesure, n'en décolère pas. Le reste est affaire d'une lente et patiente élévation culturelle et sociale. Son axiome de base : ne dormir que cinq heures par nuit. C'est ce qui lui a permis, durant ses années de reconversion – où, en plus d'un rattrapage BTS, il apprenait l'anglais –, de travailler seize heures par jour. Aujourd'hui, dans une même journée, il fait quarante-cinq minutes de vélo (« pour la méditation »), il est présent à son bureau des Ulys de 8 h 15 à 19 h 30 (« Je pars quand tout est fini »), il cultive son jardin potager et cuisine lui-même le repas de régime qui lui fera atteindre le poids idéal qu'il s'est fixé voilà deux mois. A 57 ans, ce cadre hors format prépare sa troisième carrière : « Je travaille depuis quarante ans et je ne vais pas m'arrêter de sitôt. » Raison majeure : « L'environnement professionnel est mon oxygène... » Une seule chose le chagrine – il trouve même ça « chiant », le truculent –, c'est quand les jeunes cadres font les difficiles : « Ils se font prier pour exécuter certaines tâches. » Ils refusent d'aller au charbon, en somme. S.Sa •••

(*L'Expansion*, vol. 4, 17 juin 1992, p. 122)

Pour vous aider

cadre et assimilé part of the managerial staff

un coup de grisou a methane gas explosion (down a mine)

enseveli, étouffé, seul au fond sous un éboulement de la mine alone in the mine, buried and suffocating beneath a roof collapse

pour tout bagage his only qualification

un CAP d'ajusteur equivalent to a City and Guilds certificate in metalworking (*Certificat d'Aptitude Professionnelle*)

inapte unsuitable

maintenant encore, l'ancien mineur... n'en décolère pas the former miner is still angry about it even now

en plus d'un rattrapage BTS in addition to picking up a BTS (*Brevet de Technicien Supérieur* is equivalent to a BTEC)

son jardin potager his vegetable garden

hors format larger than life

ils se font prier they need to be asked twice, need persuading

aller au charbon to get stuck in (literally to go and do the hard work, as does a miner who hacks at the coal)

en somme to put it in a nutshell

2 Maintenant, répondez en anglais aux questions suivantes.

(a) What is Roger Vidal's present job?

(b) How long has he been with the company?

(c) How many employees does he have under him?

(d) What made him decide to give up mining?

(e) What field did he decide to go into and how did he set about it?

(f) What was the secret of his success?

(g) What other things does he do apart from his work?

(h) What single thing upsets him?

Summarizing

Summarizing is a useful skill to acquire, as it allows you to phrase concisely points that you have read, and it gives you a good basis for developing your writing skills. The first thing to do is to decide what the main idea of the text is. This isn't the same thing as saying what it is about. The article you have just read is 'about' a man who started his working life as a miner and ended up as a senior executive. But the underlying idea is to show how, by sheer hard work and determination, it is possible for someone with modest beginnings to get to the top. A secondary but associated idea is that young people today no longer seem prepared to put in the necessary effort.

In most magazine and newspaper articles, and certainly in passages taken from books, part of the work of summarizing has already been done for you, either by the sub-editor or by the author. In other words, the text has already been split up into paragraphs. If the sub-editor or the author have done their job properly, each paragraph will contain one main idea, though there may be a number of supporting details.

In addition to dividing a text into paragraphs, an author will also be concerned to present the material as interestingly and, if the purpose of the text is to persuade, as cogently as possible. So the text is likely to have an introduction and a conclusion, and the material will be arranged in the most logical and effective way, perhaps with examples or illustration in support. You will need to look out for all of these things.

Let's look at the article again. There's an immediate problem, which is that it isn't easy to see any paragraph divisions! They may be there, but the layout of the text makes them difficult to spot. So, in the next *activité* the first thing to do is to mark where you think the paragraph divisions are or should be.

The next thing to do is to decide what the purpose of each paragraph is and to summarize it as briefly and clearly as possible in your own words. Because this is an account of somebody's life, there may not necessarily be a single idea in each paragraph and you will need to select the detail or details which you think are important. The text contains about 370 words and you should aim to summarize it in about 120 words.

Activité 21
20 MINUTES

1 Lisez le texte, 'Le reconverti', et marquez les paragraphes.

2 Résumez le texte en anglais.

1.3 Les salaires des femmes

In this topic we shall be considering the position of women in the workplace and looking at some of the reasons for sexual discrimination and salary differentials.

Mme le Beugle

In this audio extract you will hear Mme le Beugle, a women's rights representative (*déléguée des droits de la femme*), talking about why in many cases women with equal qualifications are paid less than men.

Activité 22 concentrates on some of the words and phrases used in the extract, and in *Activité 23* you are going to practise summarizing in a single sentence something which may have been expressed in several.

Activité 22

10 MINUTES

AUDIO 7

1 Écoutez l'Extrait 7 une première fois en essayant de comprendre l'essentiel de ce qui est dit.

2 Maintenant réécoutez l'extrait, mais cette fois vous allez chercher les expressions françaises qui correspondent aux expressions anglaises suivantes:

the law lays down equal pay

who checks that the law is being enforced?

overworked

lacks staff

the trade unions

that's the problem

Activité 23

20 MINUTES

AUDIO 7

Écoutez de nouveau l'Extrait 7, mais cette fois arrêtez la cassette chaque fois que Mme le Beugle s'arrête de parler (trois fois en tout) et rédigez une seule phrase en anglais pour résumer ce qu'elle vient de dire. Vous devez finir cette activité en ayant trois résumés.

Pour vous aider

la loi impose the law requires

l'Inspection du Travail the factory inspectorate

comment voulez-vous que les hommes soient spontanément motivés par how do you expect men, of their own accord, to interest themselves in

la femme s'efface toujours derrière l'intérêt familial women always put their families first

du conjoint of the spouse

Les femmes encore sous-payées

This text deals with the same subject as the audio extract you have just been studying, but looks at some of the statistics on women's pay and gives a number of different reasons which might explain the discrepancy between men's and women's salaries.

In the next *activité* you will first of all read the extract in order to understand the main points and thereby practise your reading skills. After you have finished reading the text and have understood the main ideas, you will do some more summarizing, but this time in French.

Activité 24

40 MINUTES

1 Lisez 'Les femmes encore sous-payées' rapidement une première fois en cherchant dans votre dictionnaire le sens des mots que vous ne connaissez pas.

Les femmes encore sous-payées

Depuis 1951, la différence de salaire entre les hommes et les femmes (au détriment très net de ces dernières) a tendance à diminuer, de façon lente et irrégulière. Chez les ouvrières, l'écart s'est creusé entre 1950 et 1967, puis il a diminué de 1968 à 1975 pour retrouver le niveau de 1950. Chez les cadres supérieurs, la tendance au redressement est apparue plus tôt (vers 1957), mais elle a été stoppée dès 1964.

Le resserrement général qui s'est produit à partir de 1968 est dû principalement au fort relèvement du SMIG puis du SMIC et des bas salaires, qui a profité davantage aux femmes, plus nombreuses à être concernées. Malgré l'amélioration constatée, l'écart reste encore important aujourd'hui.

En 1987, les femmes ont gagné en moyenne 24 % de moins que les hommes.

Ce chiffre spectaculaire donne une idée globale de la forte inégalité des salaires entre les sexes. Il faut cependant nuancer la comparaison. Les femmes occupent encore de façon générale des postes de qualification inférieure à ceux occupés par les hommes, même à fonction égale. Elles effectuent des horaires plus courts que ceux des hommes, avec moins d'heures supplémentaires. Enfin, elles bénéficient d'une ancienneté moyenne inférieure à celle des hommes.

L'inégalité reste pourtant flagrante. On note même que l'écart, qui tendait à diminuer régulièrement au cours des années précédentes, a légèrement augmenté en 1987. On constate également que l'écart s'accroît avec l'âge, ce qui tendrait à prouver que les évolutions de carrières sont moins favorables aux femmes, ce qui est une autre forme d'inégalité.

Magie des chiffres, on s'aperçoit que si les femmes gagnent en moyenne un quart de moins que les hommes (23 %), ceux-ci gagnent un tiers de plus (31 %) que leurs compagnes !

Même à profession égale, les femmes sont moins bien rémunérées que les hommes.
- ***En 1987, l'écart variait de 17 % (techniciens) à 42 % (cadres).***

Il s'est légèrement réduit depuis 1980, en particulier chez les cadres moyens et les contremaîtres, mais il reste stable chez les ouvriers et les manœuvres. Mais l'écart reste plus grand en valeur relative pour les revenus les plus élevés.

Cette situation ne signifie pas que la loi sur l'égalité professionnelle n'est pas respectée. Profession égale n'implique pas, en effet, responsabilité égale. Les femmes occupent souvent dans chaque catégorie les postes à moindre responsabilité, donc moins bien rémunérés.

(*Francoscopie*, 1989, pp. 306–7)

Pour vous aider

SMIG guaranteed minimum wage *(Salaire Minimum Interprofessionnel Garanti)*

heures supplémentaires overtime

une ancienneté moyenne an average length of service

2 Cherchez dans le texte pour trouver quatre facteurs qui expliquent la différence de salaire entre les hommes et les femmes. Notez en français quels sont ces facteurs.

3 Maintenant, résumez en français les principales raisons qui sont avancées pour expliquer pourquoi, en général, le salaire des femmes reste inférieur à celui des hommes.

4 Enfin, en vous appuyant sur le travail que vous avez fait pour l'Activité 21, écrivez en français une brève comparaison (environ 70–80 mots) entre les raisons données par Mme le Beugle et celles que vous venez de résumer.

In the next *activité* you are going to have another look at demonstrative pronouns (such as *celui*) which you met earlier. This time they are not used to define, but to avoid repetition of a noun. As you will see when you are asked to turn parts of the text into English, they are not straightforward to translate and 'the one' will not do in this context either.

Activité 25

10 MINUTES

1 Lisez la section du texte qui se trouve au milieu, entre les deux sous-titres en italiques. Trouvez quatre exemples du pronom démonstratif.

2 Maintenant, donnez une traduction anglaise de chaque phrase qui contient un pronom démonstratif.

Presenting information

There are three phrases in this extract which can be used to introduce or draw attention to information:

on note que...

on constate que...

on s'aperçoit que...

They all mean virtually the same thing: literally 'one notices that...' but a better translation would be something like 'we can see that...'. Remember that it is always useful to have a variety of expressions available in order to avoid monotony.

The next *activité* is a writing exercise in which you will use these expressions, together with an appropriate adverb, in order to practise giving variety and emphasis to a text. Notice that the text makes perfect sense without them – you are simply enhancing the text to make it more fluid.

Activité 26
10 MINUTES

1 Cherchez dans le texte les trois expressions apprises ci-dessus.

2 Dans le paragraphe qui suit, remplissez les blancs avec une expression et un adverbe choisis dans l'encadré qui suit.

_________________________________ depuis 1951, la différence de salaire entre les hommes et les femmes a tendance à diminuer de façon lente et régulière. _________________________________ chez les ouvrières, l'écart s'est creusé entre 1950 et 1967, puis il a diminué de 1968 à 1975 pour retrouver le niveau de 1950. __________ __________________ chez les cadres supérieurs, la tendance au redressement est apparue plus tôt (vers 1957), mais elle a été stoppée dès 1964. _________________________________ le resserrement général qui s'est produit à partir de 1968 est dû principalement au fort relèvement du SMIG, puis du SMIC et des bas salaires, qui a profité davantage aux femmes.

> on note que...; on constate que...; on s'aperçoit que...; d'abord; ensuite; enfin; même; également; aussi

Chiffres de femmes

This series of short texts looks at the figures for women working in different professions and compares them with those for women occupying senior posts. It also looks briefly at questions of pay, unemployment and general education.

The texts provide an opportunity for further summarizing practice, for some vocabulary work and for practising again the expressions which you learned for presenting information.

The next *activité* is optional, as it will appeal to those with a grasp of figures (and perhaps a calculator). If you choose to do it, you will practise deriving and adapting information from a press article. By working out the percentages of women in different walks of life you will discover the scale of the inequalities between men and women in these areas.

Activité 27
10 MINUTES

Lisez 'Chiffres de femmes' afin d'en tirer les renseignements qui vous permettent de remplir cette table. Quelques explications de vocabulaire vous sont donnés à la page suivante.

Profession	*% de femmes*	*% de femmes cadres*
Militaires		
Infirmières		
Universitaires		
Juges		
Chercheuses		

Chiffres de femmes

Militaires
L'armée de terre compte 3,02 % de femmes, dont 322 officiers d'active (sur 19 051). On compte parmi elles un général, deux colonels et six lieutenants-colonels.

Sous-payées
Malgré une réduction constante de l'écart, le salaire moyen masculin est encore supérieur de 31,4 % au salaire moyen féminin.

Cultivées
Les jeunes filles ont un niveau de formation plus élevé que les garçons (elles représentent 56 % des élèves du second cycle long, 50 % des étudiants de l'enseignement supérieur), mais dans les universités elles atteignent moins souvent le troisième cycle, même dans les disciplines où elles sont prépondérantes (lettres, pharmacie, droit). Elles sont minoritaires dans les classes préparant aux grandes écoles (hors écoles normales supérieures) ainsi que dans les grandes écoles correspondantes, et très peu représentées dans les écoles d'ingénieurs.

Infirmières
A l'Assistance publique de Paris, 90 % des infirmiers... sont de sexe féminin. Au niveau de l'encadrement hospitalo-universitaire, les femmes sont 27 %, et parmi les 482 chefs de service PUPH (praticiens universitaires-praticiens hospitaliers) – le top-niveau – il n'y a plus que 18 femmes (13,8 %). Il y a des disciplines plus masculines que d'autres : ainsi 90 % des chirurgiens sont des hommes.

Institutrices
Les femmes sont majoritaires (61 %) parmi le personnel de l'Education nationale ; du moins chez les instituteurs (74 %) et chez les profs de collège et de lycée (58 et 59 %). Car à l'université elles représentent 35 % des assistants, 31 % des maîtres de conférences et 9 % des professeurs d'université.

Ménagères
Dans un couple avec deux enfants, et lors même que les deux parents travaillent, la mère consacre douze heures par semaine aux soins des enfants quand son mari leur en accorde quatre. Le travail ménager accapare la femme vingt-quatre heures, l'homme, sept heures.

Subalternes
En règle générale, les femmes sont très peu représentées dans les instances de décision : elles représentent 6 % des emplois de direction de l'administration, 14 % des membres des équipes dirigeantes des syndicats, 7 % des membres du Conseil économique et social, 12 % des dirigeants d'entreprise.

Spectatrices
L'Institut de France compte 8 femmes parmi ses 322 académiciens : une à l'Académie française, quatre à l'Académie des sciences, deux à l'Académie des inscriptions et belles-lettres, une à l'Académie des sciences morales et politiques, aucune à l'Académie des beaux-arts.

Chômeuses
54 % des chômeurs sont des femmes, et elles sont largement majoritaires parmi les chômeurs de longue durée.

Juges pour enfants
Dans la magistrature, les femmes sont plus souvent juges pour enfants que juges d'instruction et elles préfèrent le siège au parquet. Comme dans bien d'autres domaines, si elles représentent 40 % de la profession, elles ne sont plus que 7 % au sommet de la hiérarchie.

Chercheuses
La recherche scientifique a été investie par les femmes. Au CNRS, un chercheur sur trois est une femme ; à l'Inserm, un sur deux. Mais là aussi, faire carrière n'est pas chose aisée : 20 % de femmes seulement parmi les directeurs de recherche de première classe et 9 % (une femme sur onze) parmi les directeurs de recherche hors classe.

(*Le Point*, no. 867, 1 mai 1989, pp. 66 and 67)

Pour vous aider

l'encadrement managerial staff

juges d'instruction examining magistrates (there is no real equivalent in the English judicial system)

elles préfèrent le siège au parquet they prefer to do legal work that does not involve advocacy

CNRS (Centre National de la Recherche Scientifique) National Centre for Scientific Research

l'Inserm (Institut National de la Santé et de la Recherche Médicale) National Institute of Health and Medical Research

un chercheur a research worker

hors classe exceptional

In this next *activité* you are going to practise writing a brief summary of the main points of a text. In the first written summary that you did (*Activité 21*), you wrote a fairly detailed summary of a text. This time we want you to extract from the information contained in the text one or two general conclusions that can be made.

You should look at the information which you obtained in working on *Activité 24*, and the further information contained under the headings *Sous-payées, Cultivées, Subalternes* and *Chômeuses* of the text you have just read (*Chiffres de femmes*).

Activité 28

20 MINUTES

Résumez en trois ou quatre phrases complètes en français les principales conclusions qu'on peut tirer du texte, en utilisant autant que possible les expressions que vous avez travaillées dans l'Activité 26. Appuyez-vous sur les considérations suivantes:

- niveau de formation des jeunes filles
- pourcentage de chômeuses
- salaire moyen féminin
- pourcentage de femmes cadres

In this final part of the section *Les salaires des femmes*, you are going to listen to Caroline, a freelance journalist talking about an experience she had when applying for a job. Before you play the cassette you are going to look for specific items of vocabulary in *Activité 29* that will help you to understand the recording when you come to it. *Activité 30* looks to see how well you understand what Caroline is saying.

Activité 29

5 MINUTES

AUDIO 8

Écoutez l'Extrait 8 puis trouvez dans la colonne de droite l'équivalent anglais de chacune des expressions françaises de la colonne de gauche.

c'était très, très mal vu	in your opinion
vous avez fait remarquer la chose?	a woman who really needed the income
d'après vous	it was very clear
on m'a traitée d'horrible syndicaliste	did you comment on it?
les femmes ont de quoi être satisfaites?	it was very badly received
une femme qui avait absolument besoin de ce salaire	they called me a union militant
c'était très net	I walked out
j'ai vite claqué la porte	have women reason to be satisfied?

Activité 30

15 MINUTES

AUDIO 8

Écoutez l'Extrait 8 de nouveau, dans le but de répondre en français aux questions suivantes.

1 Quel salaire a-t-on proposé à Caroline?

2 C'était un salaire plus important ou moins important que le salaire de son prédécesseur?

3 Quelle était la différence exacte?

4 Quelle a été la réaction de l'employeur quand elle a fait remarquer la chose?

5 Et la réaction de Caroline?

6 Est-ce qu'elle est satisfaite ou peu satisfaite des salaires des femmes en France?

Pour vous aider

d'après vous in your opinion
ont de quoi être satisfaites have reason to be satisfied
en tant que pigiste as a freelance journalist
1 000 francs pour une pige 1 000 francs piece rate (the basis by which freelance journalists are paid)
net clear
c'était normal it was only natural
énervée hysterical
trés mal vu very much frowned upon
claqué la porte walked out (literally slammed the door)
qui avait absolument besoin de who desperately needed
aurait été obligée d'accepter would have been forced to accept

In the last *activité* in this section you are going to translate a few sentences into French using what you have learned about the question of women's pay in France.

In the course of this exercise you will also revise the work you have done on demonstrative pronouns (*celui, celle,* etc. in *Activités 18* and *19*) and on presenting information.

Activité 31

15 MINUTES

Traduisez les phrases suivantes en français. Pour chacune d'elles, nous vous avons donné certains mots et expressions à employer.

1 According to Mme Le Beugle, as a rule, women are paid 30% less than men, in spite of the law which lays down equal pay.
(*d'après; malgré; imposer*)

2 However, we can see that, generally speaking, women occupy posts requiring lower qualifications than the ones occupied by men.
(*s'apercevoir que; de qualification inférieure à*)

3 It can even be seen that 54% of unemployed people are women.
(*noter que*)

4 At managerial level, there are always more men than women, even in the professions where women are in the majority.
(*au niveau de l'encadrement; être majoritaire*)

5 As a general rule, women have no reason to be satisfied with the salaries which they receive.
(*en règle générale*)

Faites le bilan

When you have completed this section of the book, you should be able to:

- Understand people talking about their jobs and salaries (*Activités 1* and *6*).
- Say what your job is and how much you earn (*Activités 3* and *5*).
- Use *faire* to describe what you are studying (*Activité 7*).
- Understand and use the future tense (*Activités 8, 9, 10* and *11*).
- Use *si* to express possibilities, with verbs in the correct tenses (*Activité 11*).
- Say whether something is easy or difficult (*Activité 12*).
- Recognize two uses of the demonstrative pronoun (*Activités 19* and *25*).
- Use *c'est celui qui, c'est quelqu'un qui, c'est un homme qui,* to give definitions (*Activité 19*).
- Summarize a text accurately to a prescribed number of words (*Activités 21* and *24*).
- Pronounce [s] or [z] correctly (*Activité 4*).

Vocabulaire à retenir

1.1 Les salaires

un stagiaire, une stagiaire
un enquêteur, une enquêteuse
une enquête
un projet d'avenir
un débouché
le marketing
l'informatique
la comptabilité
le droit
la gestion
la gestion de personnel
le secteur public/privé
gérer une entreprise

1.2 Les catégories professionnelles

la direction
un cadre, une femme cadre
un employé, une employée
un ouvrier qualifié, une ouvrière qualifiée
un ouvrier spécialisé, une ouvrière spécialisée

1.3 Les salaires des femmes

les droits de la femme
l'égalité des salaires
les heures supplémentaires (f.pl.)
un poste à moindre responsabilité/à plus haute responsabilité
minoritaire
majoritaire
être défavorisé,e par rapport à quelqu'un

2 Les relations sociales

STUDY CHART

	Topic	Activity/timing	Audio/video	Key points
1 hr 30 mins	2.1 *Le comité d'entreprise*	32 (15 mins)		Understanding the role of a *comité d'entreprise*
		33 (15 mins)	Audio	
		34 (15 mins)	Audio	Accepting and declining
		35 (20 mins)	Audio	Transcribing spoken French
2 hr 45 mins	2.2 *Les conflits*	36 (15 mins)		Understanding the services provided by a French trade union
		37 (10 mins)		Revising the use of *en*
		38 (15 mins)		Justifying an opinion
		39 (20 mins)		Vocabulary: strikes
		40 (20 mins)	Audio	Understanding a personal account of a strike
		41 (10 mins)	Audio	
		42 (15 mins)	Audio	Expressing agreement and disagreement
		43 (20 mins)		Section revision

In this section you will be looking at aspects of industrial relations in France. You learn about the social activities of the *comité d'entreprise* (a sort of works committee as you will see below) of a firm in Nantes, the relations between unions and management, the advantages of belonging to a union according to a union leaflet, the experiences of a group of workers in conflict with their employer and the attitudes of some nurses to a recent dispute.

In the course of your work on this section, you will learn the vocabulary of industrial relations and you will practise presenting information.

2.1 Le comité d'entreprise

Le comité d'entreprise is an institution that was introduced to the French industrial scene after the Second World War. Its principal role is to promote dialogue and understanding between the workers and management of a company and thereby foster co-operative industrial relations. It also has a role in the social life of a company. If you are familiar with an English speaking industrial environment you may find the extent of the *comité d'entreprise* activities surprising. In Britain there is no real equivalent.

You will find out how the *comité d'entreprise* works in practice and the effects it can have on industrial relations, by looking at the case of Aérospatiale, a high-tech aviation company.

The aim of this first *activité* is to give you some more reading practice and to enable you to learn something about *comités d'entreprise* and how they work.

Activité 32

15 MINUTES

1 Lisez le texte qui suit.

> C'est au lendemain de la deuxième guerre mondiale qu'a été créée en France l'obligation pour les entreprises de plus de cinquante personnes d'établir ce que l'on a appelé un comité d'entreprise. Son rôle, c'est de faire parler la direction sur la marche générale économique de l'entreprise. Donc, avant de prendre une décision importante, la direction doit prévenir le comité. Par exemple, si la direction veut modifier un horaire de travail, elle doit aviser le comité, qui a le droit de refuser.
>
> Le comité a également une dimension sociale, puisque son rôle est aussi de s'occuper des loisirs et de la vie sociale en général de ses adhérents, c'est-à-dire des salariés et de leurs familles. Le comité a un budget et il organise diverses activités pendant l'année.
>
> En principe, c'est un système qui facilite l'insertion de l'employé au cœur de l'entreprise et qui lui fait jouer un rôle dans les décisions importantes prises par la direction, décisions qui le concernent directement.

La réalité est différente. Très peu de comités d'entreprise jouent un rôle décisif dans la gestion de l'entreprise, à quelques honorables exceptions près. Pour la plupart d'entre eux leur rôle principal, et même parfois leur rôle unique, c'est de s'occuper de la dimension sociale, d'organiser des activités de loisirs en commun pour les salariés et leurs familles, ainsi que pour les retraités de l'entreprise.

2 Trouvez dans la colonne de droite l'équivalent anglais des mots et expressions français de la colonne de gauche.

au lendemain de	a member
la direction	apart from a few exceptions
un adhérent	shortly after
à quelques exceptions près	only
unique	a pensioner
un retraité	the management

3 Vous avez bien compris? Maintenant, répondez en anglais aux questions suivantes.

(a) When were the *comités d'entreprise* first set up and in what size companies?

(b) What was their principal role intended to be?

(c) What was their other role?

(d) What are the advantages of the system?

(e) What is the situation in practice?

Now that we know something about the idea behind the *comités d'entreprise* and how they work, we are going to listen to M. Cormerais, a representative of the *comité d'entreprise* of the Aérospatiale company telling us about its activities. It is the social dimension which is exclusively mentioned and it is interesting to note the scale of this institution and the way it looks after the leisure needs of its members.

In this next *activité* you will be practising your listening skills, in particular your accuracy in identifying specific words and phrases.

Activité 33

15 MINUTES

AUDIO 9

1 Écoutez l'Extrait 9 une première fois.

2 Maintenant lisez les phrases (a) à (f). Ensuite, écoutez l'extrait une deuxième fois et pour chaque phrase, cochez la case qui correspond à ce que dit M. Cormerais.

(a) Aérospatiale à Nantes a combien d'employés?

- 10 000 personnes ❑
- 2 100 personnes ❑
- 12 100 personnes ❑

(b) Sans compter les salariés, qui bénéficie des avantages offerts par le comité d'entreprise?

- les femmes des salariés uniquement ❑
- les anciens salariés uniquement ❑
- les familles des salariés et les retraités ❑

(c) Le comité d'entreprise s'occupe de combien de personnes en tout?

- 8 000 personnes ❑
- 18 000 personnes ❑
- 6 000 personnes ❑

(d) Il propose aux enfants:

- des séjours en Grèce ❑
- des séjours à la neige ❑
- des séjours linguistiques ❑

(e) Un couple qui part en vacances:

- doit payer le plein tarif ❑
- bénéficie d'une subvention ❑
- peut profiter de tarifs à moitié prix ❑

(f) En fin d'année:

- les enfants partent en colonie de vacances ❑
- on propose aux salariés un repas de fin d'année ❑
- les retraités reçoivent un colis ❑

Pour vous aider

les ayants droits the people eligible (for benefits)

les épouses peuvent profiter des vacances (employees') wives can (also) benefit from the holidays

nous leurs accordons des subventions we give them subsidies

concours de pêche fishing competitions

concours de belote *belote* competitions (*belote* is a card game)

un colis a parcel

Offering, granting, accepting and declining

In the audio extract you have just been studying, the speaker talked about the offers and concessions made by the *comité d'entreprise* to its members:

> Les enfants, nous leur proposons des séjours à la neige.
>
> Un couple qui part en vacances, nous leur accordons des subventions.

Notice that both verbs use the same basic structure: *proposer/accorder quelque chose* ***à quelqu'un*** (to offer/grant somebody something). Hence, *nous* ***leur*** *proposons...* (literally 'we offer to them'); *nous* ***leur*** *accordons...* (literally 'we grant to them').

There are a few other phrases in the extract which relate to organizing things for people:

> On leur paie un repas en fin d'année (payer quelque chose à quelqu'un).
>
> Nous réalisons des concours de pêche.
>
> Ils sont invités.

Also note the following:

> Les épouses peuvent profiter des vacances (pouvoir profiter de).

Study these phrases carefully and try and memorize them. It would be useful to make a note of them in your dossier.

When someone offers you something, you need to be able to say either that you would like to accept, or that you would prefer to say no. In the latter case you may want to give a reason. Look at the following list of expressions:

> *Merci beaucoup, je veux bien.*
> Thank you very much, I'd like to.
>
> *J'accepte avec plaisir.*
> I accept with pleasure.
>
> *Volontiers.*
> Gladly, I'd love to.
>
> *Non, merci.*
> No, thank you.
>
> *Je regrette.*
> I'm sorry.
>
> *Je ne peux pas.*
> I can't.
>
> *Je ne pourrai pas.*
> I won't be able to.
>
> *Parce que je suis occupé*
> Because I'm busy.

In this next *activité* you are going to practise using these words and expressions in a speaking exercise. You will also be using some of the expressions you learned previously.

Activité 34
15 MINUTES
AUDIO 10

Imaginez que vous venez d'être embauché(e) (taken on) par une compagnie. Le secrétaire du comité d'entreprise vous explique les activités sociales proposées pendant l'année et vous demande si vous voulez y participer. Écoutez l'Extrait 10 et répondez aux propositions du secrétaire en vous appuyant sur les indications en anglais.

Transcribing spoken French

You are now going to listen to one of the managers at Aérospatiale describing industrial relations (*les relations sociales*) within the company. The work based on the next audio extract is designed to develop the skill of transcribing. This is a skill with practical uses: you may want to transcribe a message over the telephone, or a song or poem you hear on the radio, or a passage in a lecture you're attending. In addition, transcribing is also a very good way of improving your listening.

Like any skill, there are techniques that you can learn to improve your performance. The ones we want you to use are set out below. Read through them carefully before starting the *activité* and refer back to this list when you get a transcription exercise in future.

1 Listen to the extract once or twice before beginning to write, in order to get the gist of what is being said.

2 Write on alternate lines. This leaves sufficient space to see clearly what you have written and to recognize any mistakes you have made. You can use the space to make any changes you want to make.

3 Leave out difficult phrases and come back to them. By concentrating initially on writing what you are fairly sure is right, you get a solid foundation that you can use to help you build up the rest of the text.

4 When you go back to fill in the empty spaces, look at what you have already written. It can help you in a number of ways:

- It will give you some idea of what the recording as a whole is about and therefore it will give some indication of what is being talked about in the parts you find difficult to understand.
- It will give you detailed help. Look closely at the words surrounding the gaps you are trying to work out. They will give clues as to the type of words you are looking for. They may

contain grammatical clues as to whether you are listening for a verb or a noun. They may indicate the tense or person of the verb you are listening for. They will also give you clues as to meaning.

5 When you think you have finished, read through what you have written very carefully. Does it make sense? Are there any grammatical mistakes? Some grammatical features are not always pronounced (for example, *pense, pensent* are pronounced the same). Check particularly verb endings and tenses and the agreement of adjectives.

   Bear in mind that if the passage you are transcribing is a recording of a French person speaking spontaneously without a script, it is quite possible that some grammatical mistakes were made.

6 Finally, when you are happy with what you have written, listen again to the passage and read your transcription at the same time.

The next *activité* will give you practice in using the techniques outlined above.

Activité 35

20 MINUTES

AUDIO 11

1 Écoutez l'Extrait 11 une première fois sans regarder ce qui suit.

2 Écoutez l'extrait une deuxième fois. Arrêtez la cassette quand vous voulez pour compléter la transcription suivante. Chaque espace contient plusieurs mots.

Je, je ne suis pas le chargé des relations sociales, ____________________

______________ simple citoyen de l'entreprise. Je dirai seulement

qu'ici, ____

____

____

____

________________ , où tout était systématiquement conflictuel, je puis

____ , ça contribue au, à la

____

____

____

____ différent de ce que

l'on peut ____

en France.

Pour vous aider

le chargé des relations sociales the person responsible for industrial relations

la concertation consultation

conflictuel confrontational

Presenting arguments

Did you notice as you were listening to the extract how the speaker used a number of words and expressions which enabled him to organize his comments and present his opinions clearly? Apart from *donc, car* and *ainsi*, which you have met before, he used:

Je dirai seulement...
I will simply say...

Et pour moi...
And from my point of view...

Je puis vous assurer que...
I can assure you that (also *je peux*)...

You might like to listen to the extract again to try and pick out these expressions and see how they help to reinforce the presentation. Make a note of them in your dossier. You will be using them later in the book.

2.2 Les conflits

We now look at the more confrontational side of industrial relations in France, in particular strikes (*les grèves*) and the role of unions (*les syndicats*).

Adhérer à la CFDT

The trade union movement in France is not organized in the same way as in Britain. In France there are three major groupings of trade unions (*les fédérations syndicales*), each of them roughly equivalent to a smaller version of the TUC. The CFDT (*la Confédération Française et Démocratique du Travail*) is broadly affiliated to the Socialist movement. The CGT (*la Confédération Générale du Travail*) on the other hand is linked to the French Communist Party. FO (*Force Ouvrière*) has no political affiliations and is the smallest of the three according to official estimates (but not according to its own declared figures). In recent years it has been growing steadily, largely because of its lack of political bias. You should also note that trade union membership in France is much lower than in the UK.

The first work you are going to do on this theme involves reading an extract from a CFDT brochure listing the advantages of union membership and addressed to existing or potential members.

Activité 36

15 MINUTES

1 Lisez l'extrait de la brochure.

Vous avez fait le choix d'adhérer à la CFDT. Ou peut-être votre décision n'est-elle pas encore prise. En tout cas, vous voulez en savoir plus.

Simple et pratique

L'adhésion est une formalité simple. Il suffit de s'adresser à un militant, un délégué dans votre entreprise ou dans une permanence locale.
Un formulaire. Quelques renseignements. Une signature. Vous êtes adhérent à la CFDT.
Pour vous faciliter la vie, choisissez donc le prélèvement automatisé des cotisations (PAC). Une solution pratique.

Vos droits d'adhérent

Vous avez droit à une information. Outre une information sur votre profession, vous recevez six numéros par an du mensuel **CFDT-Magazine,** onze numéros si vous choisissez le PAC.

• ***Vous avez droit à une défense juridique.*** En cas de problème, vous bénéficiez d'une défense particulière avec suivi de votre affaire. Une vraie garantie.

• ***Vous avez le droit de participer à la vie syndicale.*** Vous vous exprimez sur les revendications, l'action syndicale, la signature d'un accord dans l'entreprise, etc. C'est simple, vous donnez votre avis.

• ***Vous avez le droit d'accès permanent au local syndical.*** Pour rencontrer d'autres adhérents, contacter les responsables, obtenir une information.

• ***Vous avez droit à une formation syndicale.*** Pour connaître vos droits, le syndicat, la vie de la CFDT, son fonctionnement.

• ***Vous avez droit aux services d'une association de consommateurs.*** Tout adhérent CFDT bénéficie des services de l'ASSECO-CFDT. Une association de défense individuelle et collective des consommateurs.

• ***Vous avez droit à une réduction d'impôt.*** La cotisation syndicale réduit vos impôts. Demandez votre reçu à votre délégué.

Adhérer à la CFDT, c'est appartenir **en toute liberté** à un grand réseau de défense et de promotion sociale. C'est aussi bénéficier de services et de prestations. Des avantages qui comptent quand on est salarié.

(CFDT brochure, *Bienvenue*)

Pour vous aider

adhérer à la CFDT to join the CFDT

en savoir plus to know more about it

l'adhésion joining

il suffit de all you have to do is

un militant an active member (not to be confused with 'militant' in English)

le prélèvement automatisé des cotisations automatic payment of subscriptions

outre in addition to

les revendications the union's demands

votre délégué your union representative

prestations benefits

2 L'extrait établit une liste de sept avantages dont peuvent bénéficier les adhérents. Expliquez très brièvement en anglais chacun de ces avantages.

The next *activité* will help you to learn some of the vocabulary introduced in this section. It will also give you practice in using the pronoun *en* that you met in the previous book.

Then, in *Activité 38* you will practise presenting and justifying an opinion using some of the expressions which you have already learned.

Activité 37

10 MINUTES

Complétez les dialogues en traduisant les phrases entre parenthèses.

1 – Il y a combien de délégués syndicaux dans l'atelier?
  – (I don't know how many there are.)

2 – Vous pouvez me parler des nouveaux contrats?
  – (No, I haven't got time, I will talk to you about them tomorrow).

3 – Est-ce qu'il y a eu des grèves dans ce secteur de l'industrie?
  – (There has only been one, five years ago.)

4 – Est-ce que le PDG connaît tous les employés ici?
  – (No, he only knows a few of them.)

5 – Il y a combien de cadres dans le bureau d'études?
  – (There's about fifty.)

Activité 38
15 MINUTES

1 Relisez l'extrait de la brochure et décidez quels sont, pour vous, les trois plus importants avantages de l'adhésion à la CFDT. N'écrivez rien pour le moment.

2 Maintenant, écrivez environ cinquante mots en français pour justifier votre choix. Les expressions suivantes que vous avez déjà apprises vous aideront à exprimer votre avis:

à mon point de vue

moi, je...

parce que

car

Voici d'autres expressions dont vous pouvez vous servir:

à mon avis

d'après moi

selon moi

personnellement

je pense/trouve/crois que...

j'estime/je considère que...

N'oubliez pas la différence entre 'avoir droit à' qui est suivi par un nom et 'avoir le droit de' qui est suivi par l'infinitif d'un verbe.

Vous avez droit à une subvention.
You are entitled to a subsidy.

Vous avez le droit d'adhérer à un syndicat.
You have the right to belong to a trade union.

La grève

In this topic, you are going to read a short introductory text in French describing the early stages of a protracted industrial dispute, and then listen to an audio extract in which two union representatives discuss its outcome.

Your work on this topic will serve to reinforce reading, listening and summarizing skills and give further practice in ways of expressing an opinion.

en passant

The word *grève* (strike) has a colourful history. The original meaning of *grève* is shore or bank (of a river). In Paris there used to be a large square near to where the Hôtel de Ville is today, that extended as far as the River Seine. The square took its name from its riverside location, being called Place de la Grève. This was a place of public entertainment but it is most remembered as the site of public executions before and during the French Revolution. It was also a sort of job centre where the unemployed would gather to be hired by employers. The term *en grève* which originally described someone without a job came to be used to describe someone who was on strike.

The aim of the next *activité* is to give you some more practice in reading for gist and a further opportunity to summarize in English.

Activité 39

20 MINUTES

1 Tout d'abord, lisez le texte suivant afin d'en comprendre l'essentiel.

> Le conflit a commencé par une décision du patron qui, sans consultation, a décidé de baisser les salaires des ouvriers de vingt pour cent. D'après lui, ils étaient trop qualifiés par rapport aux postes qu'ils occupaient. Les quelques mois qui ont suivi cette décision ont été très difficiles pour les ouvriers, parce qu'ils avaient simplement le choix entre accepter la baisse de salaire, ou bien la refuser. Et dans ce cas-là, ils se trouvaient licenciés.
>
> Ensuite, le personnel, pour faire pression sur la direction, a décidé de se mettre en grève perlée. C'est-à-dire que les ouvriers ont voté une grève où, sur une durée de sept heures par exemple, ils ne travailleraient qu'une ou deux heures. Malheureusement, la grève perlée n'a pas apporté de solution au conflit et les grévistes ont durci leur mouvement, tout en demandant à négocier avec le patron.
>
> Le patron a refusé et dans la semaine qui a suivi la demande de négociation il a fermé son entreprise par un procédé qu'on appelle le lock-out. C'est un procédé tout à fait illégal en France et qui consiste à empêcher les salariés d'entrer dans le bâtiment pour accomplir leur travail...

Pour vous aider

licenciés made redundant

se mettre en grève perlée to go slow (*en grève* is 'on strike')

les grévistes the strikers

2 Maintenant, écrivez un petit résumé en anglais de cinquante mots à peu près en vous référant aux indications suivantes:

- la décision du patron?
- ses raisons?
- les deux possibilités pour les ouvriers?
- l'action du personnel?
- la réaction du patron?

en passant

If you look up the word *grève* in your dictionary you will find that there are many different types of strike. This lexical richness reflects the inventiveness of workers over the years in devising new ways of putting pressure on their employers, matched by their linguistic inventiveness in creating new terms to describe what they were doing.

The following list gives you some indication of the variety.

faire la grève du zèle
to work to rule

une grève générale
a general strike, all-out strike

une grève des bras croisés
a sit-down strike

une grève sauvage
a wildcat strike

une grève de solidarité
a sympathy strike

une grève surprise
a lightning strike

une grève symbolique
a token strike

It is also worth noting that these meanings all relate to the industrial relations context. The word *grève* is also used figuratively in the expression *grève de la faim* (hunger strike).

You know from the previous *activité* something about the beginnings of the industrial dispute. You go on now to listen to two union representatives discussing how it continued and how it was finally resolved. Didier Toin, who was actively involved in the dispute, is talking to a union colleague, Michel Baradeau.

In the following *activités* you will be practising your listening skills and doing some more summarizing practice in French.

Activité 40

20 MINUTES

AUDIO 12

1 Écoutez l'Extrait 12. Vous pouvez passer rapidement sur ce que dit le deuxième interlocuteur, puisque c'est le premier qui nous fournit tous les détails dont nous avons besoin. Afin de préparer le résumé que vous allez écrire ensuite, arrêtez la bande de temps en temps pour prendre des notes en français selon les indications suivantes.

- l'action du patron, en plus du lock-out
- son objectif
- la façon dont le conflit s'est terminé
- le verdict du tribunal
- victoire, ou non, pour les salariés licenciés?

2 Maintenant, imaginez que vous êtes un(e) des grévistes et que vous écrivez à un ami pour lui expliquer ce qui s'est passé. Résumez en français les points principaux, en utilisant autant que possible les expressions que vous venez d'apprendre.

Pour vous aider

des lettres de licenciement letters of dismissal

une victoire amère a hollow victory (literally *amère* means bitter)

d'autant que even more so because

en passant

The usual name for *le tribunal des prud'hommes* is *le conseil des prud'hommes* and it is roughly equivalent to an industrial tribunal, but with wider powers. The *conseillers* are elected by proportional representation for a term of five years, and are drawn from both employers and workers.

Presenting information and arguments

In the first section of this book we looked at ways of presenting information using *on note que…*, *on constate que…*, and *on s'aperçoit que…* The union representatives you have been listening to use a number of different expressions in order to introduce their comments. Look at these examples from the extract (for simplicity and clarity each of the introductory expressions has been used with the same statement of fact):

On peut dire que le conflit s'est terminé au mois de février.

Il me semble que le conflit s'est terminé au mois de février.

Ce qu'il faut savoir en plus, c'est que le conflit s'est terminé au mois de février.

The main point to notice about all of these expressions is that they aren't strictly necessary – the statement makes perfect sense without them. They are simply devices used in order to present the material in a more structured, or a more forceful and persuasive way, or perhaps to add some nuance to the meaning. Look out for these expressions when you listen to the extract again and make a note of them in your dossier, as they will be useful when you start to write essays later in the course.

La grève des infirmières

In the final extract in this topic we are going to hear two nurses discussing working conditions and their attitude to a nurses' strike.

You may need to listen to it several times in order to catch some of the phrases, but the recording provides useful practice in listening to colloquial conversation spoken at a normal pace. You will also practise agreeing and disagreeing.

The aim of this first *activité* is to test your listening comprehension.

Activité 41

10 MINUTES

AUDIO 13

1 Tout d'abord écoutez l'Extrait 13 plusieurs fois afin d'en saisir l'essentiel.

Pour vous aider

ça gâche it spoils

délaissé neglected

entre guillemets in inverted commas

par rapport aux compared to

on nous dégoûte un petit peu de la profession this puts us off the job to an extent

2 Maintenant, cochez la bonne réponse à la question suivante.

Pourquoi est-ce que les infirmières se sont mises en grève?

(a) Parce qu'elles considèrent qu'elles sont mal payées. ❑

(b) Parce que leurs conditions de travail sont trop dures. ❑

(c) Parce qu'elles sont trop peu nombreuses pour bien faire leur travail. ❑

(d) Parce qu'elles n'ont pas assez de jours de congé. ❑

(e) Parce qu'elles trouvent que leur formation professionnelle est inadéquate. ❑

Agreeing and disagreeing

The two nurses you have been listening to, Isabelle Marchand and Christelle Chupin, were in favour of the strike:

Isabelle Moi, j'étais d'accord.

This expression *être d'accord (avec quelqu'un* or *avec quelque chose)* is perhaps the most usual way of expressing agreement. Notice that it can be reinforced with adverbial expressions such as *tout à fait* or *entièrement*:

Christelle Moi, je suis tout à fait d'accord...

In fact, Christelle emphasized her agreement this time with a further phrase:

C'est vrai, moi, je suis tout à fait d'accord...

To these expressions we could add:

Je suis de votre avis.

Vous avez raison.

and these too can be reinforced with an adverb:

Je suis entièrement de votre avis.

If you want to disagree with someone, then you simply use the negative forms:

Je ne suis pas d'accord.

Ce n'est pas vrai.

Je ne suis pas de votre avis.

These can all be reinforced with *du tout*:

Je ne suis pas du tout d'accord.

Je ne suis pas du tout de votre avis.

Ce n'est pas vrai du tout.

If you want to make your disagreement less emphatic you can use *vraiment* with some of the previous expressions:

Je ne suis pas vraiment d'accord.

Je ne suis pas vraiment de votre avis.

Another common way of expressing disagreement is: *Mais non!* And if you are disagreeing with something that has been put to you in the negative, use: *Mais si!*

For example:

- *Ton idée ne marchera pas!*
- *Mais si!*

- Your idea won't work!
- Of course it will!

Now it's your turn to speak. In this next *activité* you are going to practise agreeing and disagreeing with various things that are said to you.

Activité 42

15 MINUTES

AUDIO 14

Écoutez l'Extrait 14 sur la cassette. Imaginez que vous discutez avec une amie de vos conditions de travail et des résultats éventuels d'une grève. Vous exprimez votre accord ou bien votre désaccord selon les indications en anglais.

While working on *Extrait 11*, where M. Lecocq talked about *les relations sociales* at Aérospatiale, you learned a number of expressions that are useful when presenting arguments. In *Extrait 13* there are some other expressions that can be used when putting an argument together:

ce qui est dommage (more usual: *c'est dommage*) *parce que...*
which is a pity (it's a pity) because...

par rapport à...
compared with...

dans la mesure où...
to the extent that; in so far as...

To these we could add three words that are often used to mark the succeeding stages of an argument: *d'abord; ensuite; enfin.*

Make a note of all these expressions in your dossier.

In the next *activité*, Isabelle sets out her arguments in favour of a nurses' strike in a more formal way, but we have left out some of the link words which she used. The aim of the *activité* is to give you some practice in structuring argument.

Activité 43

20 MINUTES

Lisez le texte suivant et remplissez les blancs en choisissant dans l'encadré les expressions qui conviennent le mieux.

__________, je dois dire que j'étais tout à fait d'accord pour nous mettre en grève. Pourquoi? ________________ je considère que nous travaillons souvent dans des conditions très dures et que c'est __________ le manque d'effectifs qui rend notre situation si difficile.

__________ , il faut reconnaître que la première conséquence de ce manque d'effectifs, ________________ la relation avec les malades est en quelque sorte gâchée. Et ça, c'est vrai ____________________ ______ , même si l'on fait les soins techniques, le côté relationnel a tendance à être un peu délaissé.

____________________ personnellement, ____________________ ______________ que j'ai souvent l'impression de faire la course contre la montre, ______ on a tout simplement trop de travail. ______ ______________________ ce que l'on nous enseigne à l'école, notre travail est souvent mal fait et ce sont les malades qui en subissent les conséquences.

je dirais seulement; surtout; par rapport à; car; ensuite; pour moi; d'abord; enfin; donc; parce que; c'est que; dans la mesure où

Did you notice that, even without the link words, the text makes almost perfect sense? This shows that the link words are not strictly necessary to the meaning, but they do serve to make the argument clearer and more persuasive.

Faites le bilan

When you have completed this section of the book, you should be able to:

- Accept or refuse an offer, and say why (*Activité 34*).
- Construct and present an argument clearly using appropriate link words (*Activités 38* and *43*).
- Express different degrees of agreement or disagreement (*Activité 42*).

Vocabulaire à retenir

2.1 Le comité d'entreprise

un horaire de travail

un syndicat

les relations sociales

le dialogue

la concertation

au lendemain de

la direction

un adhérent, une adhérente

à quelques exceptions près

unique

un retraité, une retraitée

un séjour à la neige

un séjour linguistique

recommander quelque chose à quelqu'un

bénéficier d'une subvention

participer à un concours/un séjour/un jeu/une activité

2.2 Les conflits

adhérer à un syndicat/un club

l'adhésion à un syndicat/un club

baisser les salaires

licencier

un militant, une militante

un délégué, une déléguée

une revendication

une grève

s'exprimer

d'autant que

par rapport à

3 Chômage et embauche

STUDY CHART

	Topic	Activity/timing	Audio/video	Key points
1 hr	*3.1 Le chômage*	44 (15 mins)		Understanding a story of long-term unemployment
		45 (15 mins)		
		46 (10 mins)	Audio	Expressing difficulty
3 hrs	*3.2 Demandeurs d'emploi*	47 (20 mins)		Understanding the work of the ANPE
		48 (10 mins)	Video	
		49 (10 mins)	Audio	Expressing requirements
		50 (20 mins)	Video	Getting a job: by word of mouth or through the job market
		51 (15 mins)		Applying for a job: what should a letter of application look like?
		52 (15 mins)		Reading a letter of application
		53 (20 mins)		Writing a letter of application
		54 (15 mins)		Finding out how to prepare for a job interview
2 hrs	*3.3 L'égalité des chances*	55 (15 mins)		Reading about employment for people with disabilities
		56 (20 mins)		Writing about employment for people with disabilities
		57 (15 mins)	Audio	Understanding about women and unemployment
		58 (20 mins)	Audio	Summarizing from a spoken account
		59 (20 mins)	Audio	Section revision

In this final section of the book, the theme is unemployment – the experience of unemployment and the problems of finding a job. We begin with *Six ans de chômage, jour après jour*, part of an article describing the experiences and feelings of a man who is one of the long-term unemployed (*les chômeurs de longue durée*). Then, in *S'inscrire à l'ANPE*, we look at a section of a brochure produced by the network of job centres, to help the unemployed maximize their chances of finding work. In the video item, *Demandeurs d'emploi*, we watch someone signing on at the job centre and describing the kind of opening he is looking for. *Marché caché, marché ouvert* is a further video item filmed at a job centre, but this time showing some unemployed people taking part in a discussion group. With *Lettre de candidature spontanée*, we study another job centre leaflet which explains how to write an unsolicited letter, whilst in *L'entretien d'embauche*, the same leaflet offers advice on job interviews and how to approach them. An extract from a magazine article, *Les devoirs des entreprises*, looks at the particular problems of disabled people who are unemployed, and the final item in this section, *Le chômage des femmes*, is an audio item in which we listen to an interview on the question of female unemployment.

3.1 Le chômage

Six ans de chômage, jour après jour

In this extract from a newspaper article on long-term unemployment we are going to read an account of one man's efforts to cope with the difficulties of finding another job and with the problems of being out of work for a long time.

The work on this article aims to develop your ability to read longer passages of French and to show you ways to avoid having to make too much use of your dictionary. You will also be developing your vocabulary.

Improving your reading skills

When you are learning a foreign language, and in particular when reading a text in a foreign language, there are several techniques you can use in order to make the most of the knowledge which you already have of your own language. The first thing to do is to look for cognates (see Book 1 of *Valeurs*).

Another thing to look out for is the way English words, which have very often derived from French, may show the same standard variation. For example, French words which begin with *ét-* will often begin with 'st-' in English: *étude* (study). French words which end in *-ie* tend to end with '-y' in English: *énergie* (energy). Even where the variation may not be standard, the similarity between the French and the English may be so close as to make the meaning clear: *réponse* and 'response', *rassurant* and 'reassuring'. But beware. Not all similarities between French and English are helpful, they may just be *faux- amis* (false friends). For example, you have already come across the word *éventuellement* which does not mean 'eventually' but 'possibly'. These can be very misleading, so watch out for words whose meaning you think is obvious but which don't really fit in with the rest of the sentence, or which give the sentence a meaning that is at odds with the rest of the article.

Another useful similarity between French and English is that many French idiomatic expressions are virtually the same in English. For example, *avoir plusieurs cordes à son arc* is the same as the English 'to have several strings to one's bow'.

Finally, when all else fails and you really cannot work out what a word or a sentence means, it is very often possible to make an intelligent guess by inferring the meaning from the context in which it is used. So, by using a mixture of techniques, you will usually find that you can understand a text even when it contains a number of French words that you have never come across before.

The text you are about to read is taken from a longer article in which a *cadre* describes his experience of six years' unemployment that followed his being made redundant. It starts with the author's feelings when, after more than a year, yet another possibility of employment fell through. He describes his many attempts to find work, his ideas for creating his own business, the effect unemployment had on his social and family life. At the end of the article, he explains how he finally managed to find a job every bit as good as the one he had had previously, and how his new employers found it hard to believe that, given his skills, he had remained unemployed so long.

This first *activité* concentrates on learning some new words. When you have completed the exercise, check your answers and enter the words in your dossier.

Activité 44

15 MINUTES

1 Lisez le texte ci-dessous et trouvez l'expression qui correspond à chacune des expressions anglaises suivantes:

(a) to put up with

(b) a temporary employment agency

(c) an answer to an advertisement

(d) it's reassuring

(e) it's kind

(f) to employ

(g) unemployed people

Là, j'ai commencé à paniquer. Ma femme me traitait de bon à rien. Je n'avais plus envie de voir qui que ce soit. Je ne rappelais plus personne. C'est trop dur de s'entendre demander 'alors où t'en es?'. En même temps, c'est un mauvais engrenage. On se replie sur soi. Alors qu'au contraire, il faudrait voir du monde. En parler pour multiplier les chances de retrouver quelque chose.

Pourtant j'ai toujours essayé de rester actif, d'être battant. Ma femme ne supportait pas que je reste à la maison. Tous les matins, je partais à huit heures. En fait, la semaine est assez rythmée. Le lundi, il y a les annonces du Figaro. Le mardi, les réunions de l'ANPE. Il y en a aussi le mercredi. Le jeudi, je faisais les agences d'intérim. Le plus dur, c'est le vendredi. C'est un jour où l'on est sûr de ne rien trouver. Chaque matin, j'essayais de bâtir ma journée, d'enchaîner une série d'activités: lecture du journal, réponse aux annonces, rendez-vous ... Mais le temps ne passe pas toujours très vite, alors on traîne, on tourne en rond. L'été, il y a les squares. L'hiver, au lieu de prendre le bus, je marchais, je dépensais mon énergie et c'était toujours une heure de passée. Parfois on se demande à quoi on sert, ce qu'on va devenir, mais il y a toujours un petit espoir alors on tient le coup.

J'allais tous les jours à l'APEC. Beaucoup de gens y passaient la journée. C'est toujours mieux que le café. Et c'est rassurant de rencontrer des gens dans la même situation que vous. Maintenant, ils exigent la carte à l'entrée. Sans doute parce qu'il y avait trop de monde. À l'ANPE, ils viennent de mettre des téléphones à notre disposition. On peut appeler gratuitement. C'est bien parce qu'à force ça coûte cher. Comme les CV à photocopier. Les photos. À chaque fois que l'on répond à une annonce, ils demandent une photo. J'ai envoyé plus de huit cents lettres, faites le compte.

On ne vous explique jamais pourquoi on ne vous prend pas. Et ça c'est très dur. Les réponses se suivent et se ressemblent: 'nous avons le regret de vous informer ... Notre décision ne remet nullement en cause votre compétence ...' Beaucoup de sociétés proposent de conserver le CV. C'est gentil. Mais ça ne marchait jamais. À la fin, ma femme n'y croyait plus. Pourquoi ça ne marchait pas? J'en sais rien. Beaucoup de sociétés refusent d'embaucher des gens au chômage. Et ceux de 30 ans ont plus de chance que ceux de 40. Moi, on m'a souvent dit que j'étais trop vieux.

(*Libération*, 19 novembre 1991)

2 Cherchez les expressions françaises suivantes dans le texte, puis cochez la case qui, à votre avis, correspond à la meilleure traduction anglaise dans ce contexte précis.

(a) *C'est un mauvais engrenage*:

- it's the wrong gear ❑
- it's a vicious circle ❑
- the system isn't working ❑

(b) *On se replie sur soi*:

- you withdraw into yourself ❑
- you bend over backwards ❑
- you turn round and go back ❑

(c) *Être battant*:

- to beat the system ❑
- to be a fighter ❑
- to play a lot of sport ❑

(d) *On tient le coup*:

- you cut back ❑
- you receive a kick ❑
- you keep going ❑

(e) *On tourne en rond*:

- you turn around ❑
- you wander aimlessly ❑
- you circle back to where you started ❑

Now we're going to look at the text in more detail and see how much you can understand. Don't worry if you can't work out every word. The important thing is to get the gist by using the knowledge you have and by making sensible guesses. If you're really stuck, you can use your dictionary.

The aim of the next *activité* is to test your reading comprehension.

Activité 45

15 MINUTES

1 Relisez le texte, puis répondez en anglais aux questions suivantes.

(a) What was the consequence of the writer's feeling of panic and why did he think this behaviour was foolish?

(b) How does he organize his week?

(c) How does he organize his day?

(d) What does he do with his free time in winter?

(e) How has the ANPE eased the financial costs for the unemployed?

(f) What does the writer find difficult about the rejections he receives from prospective employers?

(g) What does he think counts against him in particular?

Pour vous aider

je n'avais plus envie de I no longer wanted to

où t'en es? where have you got to?/how far have you got? (Notice that in colloquial spoken French *tu* is often shortened to *t'* and that after question words such as *où* the normal inversion of subject and verb is often ignored – *où en es-tu?* is the more formal way.)

il faudrait voir du monde you ought to meet people (*il faudrait* is the conditional tense of *il faut*)

en passant

Le Figaro is the biggest of the French national daily newspapers with a circulation of about 450 000 (the French newspaper with the biggest circulation is a provincial daily, *Ouest-France*, with a circulation of about 750 000 spread over a number of local editions). Compare this with the circulation of around three million or more achieved by the biggest British tabloids and around one million for the *Daily Telegraph*.

Expressing difficulty

You have already practised saying something is easy or difficult (*Activité 12*). The writer of the article uses a number of further expressions in order to say how difficult things are for the unemployed:

C'est trop dur de s'entendre demander 'alors où t'en es?'

Le plus dur, c'est le vendredi.

Et ça **c'est très dur.**

Here are a few more that you could use, one or two of which you know already:

C'est très difficile.

Le plus difficile, c'est...

Ce n'est pas facile (du tout).

C'est un vrai problème.

Remember that in these cases *de* is needed before an infinitive: *le plus difficile, c'est* **de** *n'avoir rien à faire.*

The next *activité* gives you a chance to practise these expressions.

Activité 46

10 MINUTES

AUDIO 15

1 Faites des phrases complètes en joignant les deux éléments de chaque liste selon le modèle.

(a) très difficile	trouver un emploi après un an de chômage
(b) le plus dur	le week-end
(c) pas facile du tout	rester actif
(d) le plus difficile	occuper son temps
(e) trop dur	ne rien trouver

Modèle

trop dur	travailler dix heures par jour

C'est trop dur de travailler dix heures par jour.

2 Maintenant, écoutez l'Extrait 15 où vous entendrez ces phrases. Répétez chaque phrase après l'avoir entendue en essayant surtout de bien prononcer les 'r'.

The unemployed *cadre* you have just read about spent much of his time job hunting. You are now going to see some more people who are looking for work. You will see someone going through the procedure of signing on with the ANPE. The video will also show you how the ANPE runs courses to help people to increase their chances of finding a job. You will be reading some of their leaflets that give specific advice that may be of use to anyone who is seeking a new job.

S'inscrire à l'ANPE

This extract from an ANPE brochure is intended as a preparation for the video item which follows. It sets out the procedure for people signing on as unemployed and actively seeking work.

The next *activité* is a reading comprehension exercise.

Activité 47

20 MINUTES

1 Tout d'abord, lisez le texte.

S'INSCRIRE A L'ANPE

Se déplacer personnellement

soit à l'agence locale de l'ANPE qui dessert votre commune,

soit à la mairie,

avec une pièce d'identité ou si vous êtes de nationalité étrangère, le titre qui vous autorise à rechercher un emploi en France,

munissez-vous des documents utiles à votre recherche d'emploi (certificats de travail, attestations de formation, diplômes, curriculum vitæ...).

Remplir avec précision votre fiche de demandeur d'emploi

Ce document va permettre à votre agence locale de vous proposer des emplois ou des formations adaptés à votre situation, précisez :

l'emploi recherché,	le lieu, les horaires,	votre expérience, votre formation.

et rencontrer un conseiller

Il enregistre votre demande et vous informe sur :

les services offerts par l'ANPE,

les offres d'emploi disponibles,

les démarches à entreprendre.

Il vous remet une attestation d'inscription qui facilitera vos démarches.

(ANPE brochure, *L'ANPE et Vous – Rechercher un Emploi*)

Pour vous aider

se déplacer personnellement to go in person

votre commune your locality (*commune* is an official term to describe any administrative area large enough to have an elected mayor and town council)

une pièce d'identité proof of identity

remplir to fill in

un conseiller an adviser

les offres d'emploi disponibles job vacancies available

les démarches à entreprendre the steps to take

2 Quelqu'un vous demande ce qu'il faut faire pour s'inscrire à l'ANPE. Pour le conseiller, vous complèterez le dialogue suivant en vous aidant des indications données en anglais. Vous trouverez tous les renseignements dans la brochure. N'oubliez pas les expressions utiles pour donner des instructions: vous pouvez, vous pourrez, vous avez besoin de, vous aurez besoin de, etc.

Chômeur	Excusez-moi, qu'est-ce que je dois faire pour m'inscrire à l'ANPE, s'il vous plaît?
Vous	(Explain where he can sign on.)
Chômeur	Qu'est-ce qu'il faut que j'apporte avec moi?
Vous	(Say what he needs to take.)
Chômeur	C'est tout?
Vous	(Say what else he needs.)
Chômeur	Il y a une fiche à remplir?
Vous	(Explain what has to be specified on the form.)
Chômeur	Je pourrai parler à quelqu'un?
Vous	(Say who he will meet.)
Chômeur	Merci beaucoup.

Remember that, although in everyday speech and writing it is usual to use the imperative form of the verb in order to express a command – *envoyez-moi les détails* (send me the details) – in official notices and documents the infinitive is very frequently used instead:

> *Remplir avec précision votre fiche.*
> Carefully fill in your form.

3.2 Demandeurs d'emploi

You are now going to look at two video sequences, filmed in an ANPE office. The first one, *Rechercher un emploi*, shows someone registering as unemployed and seeking work, and the second, *Marché caché, marché ouvert*, shows several unemployed people looking at details of job vacancies and then taking part in a discussion group designed to help them find a job.

Then, in *Lettre de candidature spontanée*, you will work on an extract from an ANPE brochure and learn to write an unsolicited letter asking for a job. Finally, in *L'entretien d'embauche*, you will study another extract from the same brochure which will help you do the right thing before and during a job interview.

Rechercher un emploi

This *activité* concentrates on developing your listening skills.

Activité 48
10 MINUTES
VIDEO

1 D'abord, regardez la séquence 'Rechercher un emploi' (33:30–35:52). Si vous le souhaitez, vous pouvez la regarder deux ou trois fois.

Pour vous aider

comme demandeur d'emploi as available for work *(un demandeur d'emploi* is a job seeker)

pièce d'identité a document (identifying who you are; in France, often a *carte d'identité*)

adjoint au directeur commercial assistant sales director

les prises de commande order (the placing of orders)

2 Maintenant, lisez les questions qui suivent et cochez la case 'Vrai' ou 'Faux' selon le cas. Corrigez les déclarations fausses.

	Vrai	Faux
(a) Maurice veut s'inscrire comme demandeur d'emploi.	❑	❑
(b) Il a rempli son dossier et tout est complet.	❑	❑

(c) Comme pièce d'identité, il donne sa carte bancaire. ❑ ❑

(d) Il est né en juin 1952. ❑ ❑

(e) Il cherche un emploi de représentant. ❑ ❑

(f) Dans son premier emploi, il était représentant mais il n'était pas cadre. ❑ ❑

(g) Il a vingt-cinq ans d'expérience professionnelle. ❑ ❑

(h) Il cherche un emploi dans l'Ouest. ❑ ❑

(i) Il souhaiterait une formation en informatique. ❑ ❑

Using the impersonal verb 'falloir'

You have already come across this verb in some of its forms earlier in the course. Just to remind you, these are the forms you have seen:

> ***Il faut*** *remplir la fiche.*
> You/we must fill in the form (literally 'it is necessary to...').
>
> ***Il a fallu*** *se déplacer personnellement.*
> You/we had to go in person (literally 'it was necessary to...').
>
> ***Il faudrait*** *rencontrer un conseiller.*
> You/we ought to see an adviser (literally 'it would be necessary to...').

In the video sequence *Rechercher un emploi*, you heard another form – *il faudra*. This is the future form:

> ***Il faudra*** *rencontrer ma collègue.*
> You will have to see my colleague (literally 'it will be necessary to...').

We can add one other form, the imperfect:

> *Le mercredi,* ***il fallait*** *aller à l'ANPE.*
> On Wednesdays you/we had to go to the job centre (literally 'it was necessary to...').

You may have noticed that French people when speaking often drop the 'l' from *il faut*, so what you will often hear is [ifo]. Likewise, *il fallait* and *il faudra* are pronounced [ifɑlɛ] and [ifodʀɑ].

It would be useful to practise saying all of these examples aloud and to copy them into your dossier.

Expressing requirements

In the course of the interview that you watched in the first video sequence, the interviewer asked Maurice which geographical area he would like to find work in. He replied:

> **Je souhaiterais** ou la région Pays de Loire, ou la région Bretagne.

The interviewer went on:

> Je vois que **vous souhaitez** une formation.

to which her client replied:

> **Je souhaiterais** avoir une formation en informatique.

The verb *souhaiter* is a very useful verb for expressing what your requirements or wishes are. Notice the difference between the present tense: *vous souhaitez* (you want) and the more polite conditional tense: *je souhaiterais* (I would like). We will be looking at how to form and use the conditional tense in more detail in Book 4 of *Valeurs*. For the moment all you need to do is to learn the expressions we have given you here. Here are two more verbs in the conditional tense which also mean 'I would like':

> je voudrais
>
> j'aimerais (bien)

Notice that all three verbs can be used either with a noun or with an infinitive:

> Je souhaiterais/je voudrais/j'aimerais **une formation en informatique.**
>
> Je souhaiterais/je voudrais/j'aimerais **avoir une formation en informatique.**

One way to learn them is to repeat all of these expressions aloud until you feel confident about them.

The next *activité* is a speaking exercise in which you will practise saying what you would like.

Activité 49

10 MINUTES

AUDIO 16

Écoutez l'Extrait 16 sur la cassette. Imaginez que vous vous inscrivez à l'ANPE où une conseillère vous pose des questions. Répondez selon les indications entre parenthèses.

Marché caché, marché ouvert

In this video sequence we see a number of unemployed people, who have all signed on at the ANPE, taking part in a discussion group. The purpose is to help them improve their chances of finding a job. They describe how they obtained their first job and discuss the relative importance of the 'hidden' job market and the 'open' job market.

The next *activité* gives you some more practice in listening comprehension and in describing your own experiences.

Activité 50

20 MINUTES

VIDEO

1 D'abord, regardez la séquence 'Marché caché, marché ouvert' (35:56–40:20).

Pour vous aider

ces inscrits sont en plein stage these unemployed people are in the middle of a course. (The word *inscrit* means they are 'registered' unemployed.)

un poste à pourvoir a job vacancy

par candidature spontanée by a direct (or unsolicited) application

2 Maintenant, répondez en anglais aux questions suivantes.

(a) How did Agnès get her first job?

(b) What was Eric's first job and how did he get it?

(c) How did Françoise get her first job?

(d) How does Annie define *marché caché*?

(e) How does she define *marché ouvert*?

(f) Which of these two is the most important, according to Annie, and why?

3 Enfin, décrivez brièvement vos expériences personnelles quand vous avez recherché un emploi.

Did you notice that most of the speakers used both the perfect and the imperfect tenses to describe their experiences? For example, Eric says:

> **Je cherchais** un poste de chauffeur poids lourd et un ami m'**a dit** qu'une entreprise **recherchait** quelqu'un. **Je me suis présenté**, de sa part, et **j'ai été embauché**.

Remember that the imperfect is used to describe continuous actions or situations in the past, whereas the perfect is used to describe single actions in the past. If you are not sure about this, have a look at pages 118–19 in your Grammar Book.

Lettre de candidature spontanée

We have already come across the expression *candidature spontanée* in the second of the two video items. We are now going to look at an extract from an ANPE brochure which offers advice on how to write an unsolicited letter asking for a job. After that, you are going to look at a sample letter and then practise writing such a letter yourself.

The next *activité* is aimed at practising your reading comprehension.

Activité 51
15 MINUTES

1 Tout d'abord, lisez l'extrait de brochure pour en saisir l'essentiel.

La lettre de candidature spontanée

Pourquoi cette lettre ?

Il s'agit d'une lettre qui vise à obtenir un entretien.

Savez-vous que plus d'un tiers des embauches est réalisé à partir des lettres de candidature spontanée ? Aussi, n'hésitez pas à proposer vos services directement aux entreprises en utilisant ce moyen.

Comment la rédiger ?

Sélectionnez les entreprises du secteur qui vous intéresse. Vous trouverez ces entreprises en consultant des répertoires d'entreprise et des annuaires professionnels. Renseignez-vous auprès du Chargé d'Information de votre Agence Locale.

Rédigez la lettre dont l'introduction doit être directe, personnelle et originale pour capter d'emblée l'intérêt du lecteur auquel vous expliquez ensuite la raison de votre démarche.

Pour que l'on vous accorde un entretien, justifiez votre valeur professionnelle, il faut donc prélever de votre curriculum vitae les expériences professionnelles intéressantes pour l'entreprise.

Terminez votre lettre de façon optimiste en demandant un entretien.

Elle doit toujours être écrite à la main et non photocopiée. Elle sera rédigée sur une seule page (format 21 × 29,7 cm) sans rature ni faute d'orthographe. Une fois terminée, relisez-la.

A qui l'envoyer ?

Expédiez-la :

- pour les petites et moyennes entreprises, au Chef d'entreprise
- pour les grandes entreprises, au Chef du Personnel ou au Chef du Département dans lequel vous aimeriez travailler.
- adressez-la lui personnellement si c'est possible ou à son service

Si certaines de vos lettres restent sans réponse, vous pouvez reprendre contact avec vos destinataires après un délai d'environ 3 semaines.

(ANPE brochure, *Recherche D'Emploi*)

Pour vous aider

qui vise à which aims to

un entretien an interview

des répertoires lists

d'emblée straightaway

prélever to extract

2 Maintenant, relisez le texte pour répondre à ces questions en anglais. Rédigez les réponses sous forme de notes, vous n'avez pas besoin d'écrire des phrases complètes.

(a) but de la lettre?

(b) pourquoi écrire une lettre?

(c) première chose à faire avant de rédiger la lettre?

(d) la lettre: introduction?

(e) partie principale?

(f) conclusion?

(g) rédigée comment?

(h) à qui l'envoyer?

(i) si votre lettre reste sans réponse?

In the next *activité* you are going to look at a letter which will not only give you a good idea of how to write a formal unsolicited letter of this kind, but will also give you some practice in reading French handwriting.

Activité 52

15 MINUTES

1 D'abord, lisez la lettre modèle en faisant particulièrement attention à la structure et aux expressions utilisées.

Pour vous aider

une orientation de carrière a career (path)

je vous prie de croire... à l'assurance de mes salutations distinguées this is one of several standard closing formulas in French – it is used when writing to someone who is not known to you personally and is approximately equivalent to 'Yours faithfully' or 'Yours sincerely'

Maryse Laffont
146, rue Georges Marie
17300 Rochefort

Monsieur le Directeur du Personnel
Société Interloc
91, avenue Ernest Renan
75016 Paris

Rochefort, le 16 mai 1993

Objet: demande de poste dans votre service de marketing international

Monsieur,

De retour d'Amazonie où j'ai travaillé pendant six mois comme assistante en recherche et communication, je me permets de vous écrire pour solliciter un poste dans votre société.

Si je m'adresse d'abord à la Société Interloc, c'est surtout parce que vous êtes une société internationale avec des intérêts importants en Amérique du Sud.

Possédant une solide formation en marketing et communication, je me permets donc de vous envoyer mon curriculum vitae et d'attirer votre attention sur ma connaissance des langues, ainsi que sur mes deux années d'expérience professionnelle au Brésil et en Argentine.

Je souhaiterais pouvoir explorer avec vous une orientation de carrière qui me permettrait de mettre mes compétences au service de votre entreprise.

Espérant que vous m'accorderez un entretien, je vous prie de croire, Monsieur, à l'assurance de mes salutations distinguées.

Maryse Laffont

2 Maintenant, comparez la lettre modèle avec l'extrait de brochure 'La lettre de candidature spontanée'. Est-ce qu'elle se conforme ou non aux conseils donnés dans la section 'Comment la rédiger'? Notez, brièvement, vos observations en anglais.

Now it's your turn. In the next *activité* you are going to imagine that you are looking for a job in France and have decided to write a letter to a company which you would like to work for. In your letter you should use some of the expressions you have learned in 'Expressing requirements'. You might also find it useful to look at the expressions you learned in the past for expressing approval, your wishes, stating reasons for a preference, and possibly expressing difficulty.

Activité 53

20 MINUTES

En vous appuyant sur la lettre modèle, écrivez une lettre de candidature spontanée à la société Jardinex. En ce qui vous concerne, vous pouvez soit utiliser les détails et l'expérience qui vous sont personnels, soit inventer un personnage et dire que vous êtes cette personne.

Raison sociale:	Société Jardinex
Siège social:	106, boulevard Victor, 16480 Brossac
Date de création:	1954
Produits:	meubles de jardin et accessoires
Exportations:	48%
Destination:	Espagne, Italie
Usines:	2 (à Lens et à Brossac)
Effectifs:	150: 10 cadres, 32 employés, 108 ouvriers
CA:	140 000 000 FF

Pour vous aider

raison sociale company name

siège social head office

CA turnover (the initials stand for *chiffre d'affaires*)

L'entretien d'embauche

You are now going to read a second extract from an ANPE brochure. This one gives information on how to prepare for, and what to do during a job interview. The work on this text will help you develop your reading skills, in particular your ability to scan a text for details.

When you have finished your work on this text you may like to listen to the Feature Cassette for this book which contains two simulated job interviews. As you listen try to decide how well the candidates perform and who would be the most likely to get the job. Also ask yourself whether they follow the advice set out in the ANPE leaflet.

Activité 54

15 MINUTES

1 D'abord, lisez le texte assez rapidement pour en saisir les points essentiels.

L'entretien d'embauche

Comment vous préparer ?

Renseignez-vous sur l'entreprise, sur ses activités, le statut du personnel, la convention collective...

Relisez le texte de l'annonce (si cela est le cas), préparez votre argumentation en notant les points intéressants pour l'entreprise.

Munissez-vous de votre C.V., de la correspondance échangée avec l'entreprise, de vos certificats de travail ou de vos diplômes... d'un bloc note. Soignez votre tenue, n'arrivez pas en retard à votre rendez-vous.

Pendant l'entretien

Soyez détendu(e) et présentez-vous avec assurance.

Les questions les plus souvent posées par votre interlocuteur porteront sur votre expérience, les raisons de votre candidature, votre formation... Répondez clairement et avec précision aux questions posées.

N'hésitez pas à poser vos questions sur le poste proposé.

Après l'entretien

Notez les points essentiels qui ont été abordés. Voyez quelles questions vous ont mis en difficulté et celles qui vous ont permis, au contraire de faire valoir vos atouts. Ces éléments vous aideront à aborder un nouvel entretien.

Quels sont les différents types d'entretien ?

L'entretien simple : c'est le plus fréquent, votre interlocuteur converse directement avec vous.

Le jury : vous êtes face à quelques personnes, ne vous laissez pas impressionner, répondez aux questions au fur et à mesure.

Les entretiens successifs : vous rencontrez successivement plusieurs personnes, ceci vous permet de vous familiariser avec l'entreprise.

Les entretiens de groupe : plusieurs candidats sont réunis, on leur expose le poste, ils doivent discuter.

(ANPE brochure, *Recherche D'Emploi*)

Pour vous aider

un bloc-note a notepad

soignez votre tenue take care over your appearance

présentez-vous introduce yourself

faire valoir vos atouts to highlight your strengths (*un atout* is literally a trump card)

au fur et à mesure in succession, as you go along

à bon escient judiciously (fairly formal)

2 Maintenant, lisez la liste ci-dessous, puis relisez le texte avant de répondre en anglais aux questions (a) à (e).

(a) Name two things you should do in order to prepare yourself for the interview.

(b) Name two things you should take with you.

(c) What are most interview questions about?

(d) What should you do after the interview?

(e) What are the four different types of interview and what happens in them?

3.3 *L'égalité des chances*

In this last part of the section we look at the question of equal opportunities in employment. In *Les devoirs des entreprises* the responsibilities of employers are discussed with regard to the employment of disabled people, and in the audio extract we listen again to Mme le Beugle who talks about some of the reasons why women are more likely to be unemployed than men.

In the course of your work on this topic you will concentrate on practising your speaking and listening skills, and you will also learn some important new vocabulary to do with aspects of employment law.

Les devoirs des entreprises

The law requiring all businesses, both private and state-controlled, to employ a certain percentage of people with disabilities came into effect on 1 January 1990. Businesses which choose not to do so must pay a specified sum of money into a fund whose aim is to promote the employment of people with disabilities, in various ways – for example, by sub-contracting work to protected workshops staffed in this way.

The aim of the next *activité* is to give you practice in reading and to test your comprehension.

Activité 55
15 MINUTES

1 D'abord, lisez l'article et cherchez dans votre dictionnaire les mots que vous ne connaissez pas.

Travailleurs handicapés

LES DEVOIRS DES ENTREPRISES

Embauche à temps partiel, contrats de sous-traitance avec le milieu protégé, contribution à un fonds de développement. L'entreprise commence à reconnaitre et à assumer — tout doucement — ses obligations envers les personnes handicapées.

Il aura fallu trois ans de procédure à un jeune myopathe de vingt-huit ans pour se voir accorder par le Conseil d'Etat le droit d'accéder à un poste d'enseignant. L'intégration des travailleurs handicapés dans le milieu professionnel reste encore difficile. Ainsi, un tiers des employeurs préfère verser une contribution à l'Association nationale de gestion de fonds pour l'insertion professionnelle des handicapés (Agefiph) plutôt que de proposer un emploi effectif au sein de leur entreprise. Quant à l'Etat, il n'emploie qu'un pourcentage très faible de travailleurs handicapés — environ 3,3% — dont 2,8% dans l'Education nationale. Pourtant, la loi réprime désormais les discriminations fondées sur l'état de santé ou le handicap. En janvier 1992, le tribunal correctionnel de Saint-Nazaire a ainsi sanctionné un employeur qui avait licencié une jeune hôtesse d'accueil parce que celle-ci portait une prothèse à l'avant bras. En vain l'employeur a-t-il avancé qu'il ne s'était pas aperçu de ce fait lors de l'embauche ou encore tenté de faire valoir que son employée lui aurait délibérément dissimulé sont état...

L'obligation d'emploi

Est considéré comme travailleur handicapé toute personne dont les possibilités d'obtenir ou de conserver un emploi sont effectivement réduites par suite d'une insuffisance ou d'une diminution de ses capacités physiques ou mentales. Il existe une obligation d'emploi des travailleurs handicapés, mutilés de guerre et assimilés, à laquelle sont assujettis tous les employeurs ou établissements d'au moins vingt salariés. Ceux-ci sont en effet tenus d'employer des handicapés dans la proportion de 6% de l'effectif total.

(*Courrier Cadres*, no. 974, 26 juin 1992)

Pour vous aider

Il aura fallu trois ans de procédure it will have taken three years' legal proceedings

myopathe muscular dystrophy sufferer

le Conseil d'État the constitutional council (an official body whose main function is to decide on the constitutionality of proposed new laws and on the proper application of existing ones)

accéder à un poste d'enseignant to take up a job as a teacher

verser to pay

au sein de leur entreprise in their company

la loi réprime the law curbs

le tribunal correctionnel the criminal court

sanctionné punished

une prothèse à l'avant-bras an artificial hand

lors de l'embauche when she was taken on

faire valoir que son employée lui aurait délibérément dissimulé son état claim that his employee deliberately tried to conceal her condition from him

à laquelle sont assujettis tous les employeurs to which all employers are subject

2 Maintenant, répondez en anglais aux questions suivantes:

(a) What evidence is offered that people with disabilities are still having difficulties in finding professional employment?

(b) How does the law protect the disabled and is this sufficient according to the article?

(c) What is the official definition for 'a disabled person'?

Note down the following link words that were used in the text you have just read. Try to make use of them in your writing.

ainsi
thus, so

quant à
as for

pourtant
however

We have already looked at the verb *falloir* in some detail, but here is an example of one further tense:

Il aura fallu trois ans.
It will have taken three years.

This is the future perfect tense which is formed with the future tense of *avoir* or *être* plus the past participle of the verb concerned. We do not expect you to learn this tense at this stage but if you would like to learn more about it, you should look at page 121 of your Grammar Book.

In the next *activité* you are going to have an opportunity to say what you think and give reasons for your opinions. Remember to think about the structure of your writing. Make sure you write an introduction and a conclusion (see Book 1 of *Valeurs*).

Activité 56

20 MINUTES

L'auteur de cet article cite deux exemples de personnes handicapées qui ont eu des difficultés à s'intégrer dans le monde du travail. Décrivez leurs expériences, puis donnez votre réaction personnelle à la situation des handicapés en général, en citant vos raisons (environ 100–150 mots).

Servez-vous des expressions données dans l'encadré.

> il est difficile de; il n'est pas facile de;
> je suis d'accord que; je pense/je trouve/
> je crois/je suis convaincu(e) que; car

en passant

You may have noticed that the term *handicapé* was used in the article whereas the equivalent English term 'handicapped' is now not very often used as it is considered more negative than the terms 'disabled' (or 'with disabilities'). The French language has been much less influenced by political correctness than English has. There have been some changes nevertheless. People with visual disabilities are no longer referred to as *aveugle* (blind) because the term *malvoyant* is now preferred. Another example is *malentendant* which is used instead of *sourd* (deaf).

Le chômage des femmes

In *Extrait 17* you are going to listen to Mme le Beugle talking about some of the reasons why proportionately more women are unemployed than men.

This *activité* offers a further opportunity to test the accuracy of your listening skills. Note, however, that the second part of the *activité* is not a transcription exercise. Don't write down word for word what you hear.

Activité 57

15 MINUTES

AUDIO 17

1 Écoutez l'Extrait 17 une première fois.

Pour vous aider

qui débouchent vers which lead to

de la part des on the part of

dans les faits in actual fact

2 Maintenant, écoutez l'extrait une deuxième fois en arrêtant la bande de temps en temps afin de remplir les blancs. Ne cherchez pas à transcrire mot à mot ce que dit Mme le Beugle. Il s'agit ici de résumer brièvement ces paroles.

(a) Les femmes représentent ______ % des chômeurs.

(b) Les femmes ont de la difficulté à trouver un emploi parce qu'______________________________

(c) Les femmes ne sont pas intéressées par les formations qui leur sont proposées quand elles sont jeunes parce que ______________________________

____

____

____

______________________________ .

(d) Même si tous les métiers sont ouverts aux femmes, leurs éventuels collègues masculins ______________________________

______________ .

(e) Les entreprises ont tendance à préférer embaucher un homme parce qu'______________________________

____

______________________________ .

In the next *activité* you are going to use the same audio extract for further practice in writing a summary in French. You should avoid, as far as possible, simply transcribing the text word for word. Try to express the ideas in your own way, and make sure you use some of the link words and expressions which you have learned in this book – this will help you to write a well-structured summary.

Activité 58

20 MINUTES

AUDIO 17

1 Écoutez l'Extrait 17 encore une fois. Chaque fois que Mme le Beugle finit de parler, arrêtez la bande et prenez des notes en français sur ce qu'elle vient de dire.

2 Maintenant, écrivez un bref résumé en français (environ 140 mots), en mettant en évidence les points suivants:

- le niveau de chômage parmi les femmes
- les qualifications des femmes
- les emplois qui les intéressent
- l'attitude des entreprises et des hommes à l'égard des femmes

As your last piece of work in this section, you are going to revise one or two of the things you have done already.

This last *activité* is a speaking exercise designed to give you some more practice in talking about unemployment and to help you revise the work of the section.

Activité 59

20 MINUTES

AUDIO 18

Imaginez que vous êtes au chômage en France, que vous vous êtes inscrit(e) à l'ANPE, et que vous avez maintenant un entretien avec une conseillère. Écoutez l'Extrait 18, où vous entendrez les questions de la conseillère. Jouez votre rôle en répondant dans les intervalles.

Faites le bilan

When you have completed this section of the book, you should be able to:

- Say that something is difficult (*Activité 46*).
- Instruct somebody on how to follow a procedure (*Activité 47*).
- Express requirements (*Activité 49*).
- Write a formal letter of application (*Activité 53*).

Vocabulaire à retenir

3.1 Le chômage

être au chômage

embaucher

tenir le coup

avoir envie de quelque chose/de faire quelque chose

je n'en sais rien

au contraire

pourtant

en fait

alors que

3.2 Demandeurs d'emploi

une pièce d'identité

remplir un questionnaire/une fiche

une offre d'emploi

un poste à pourvoir

un demandeur d'emploi, une demandeuse d'emploi

une formation en informatique/en comptabilité/en gestion

en ce qui concerne

un entretien

rédiger

se renseigner sur

3.3 L'égalité des chances

un emploi qui débouche vers

s'apercevoir de

avoir tendance à

l'attitude à l'égard des femmes

être mal qualifié(e)

être moins/plus qualifié(e) que

un licenciement

Corrigés

Section 1

Activité 1

2 You should have ticked:

(a) 1 500 francs par mois

(b) un petit salaire (she only gets the *SMIC*)

(c) 7 000 francs par mois

(d) Jean-Jacques mentions several figures but agrees that he usually gets about 20 000 francs a month.

3 Philippe, qui est stagiaire, gagne 1 500 francs par mois. Colette, qui est éclusière, touche un petit salaire. Christine, qui est ouvrière, gagne 7 000 francs par mois. Jean-Jacques, qui est jockey, gagne 20 000 francs par mois.

4 Colette, qui est éclusière, touche un petit salaire, mais Christine, qui est ouvrière, gagne 7 000 francs par mois. Par contre, Philippe, qui est stagiaire, gagne 1 500 francs par mois. Enfin, Jean-Jacques, qui est jockey, gagne 20 000 francs par mois.

Activité 2

2 The following statements were false:

(b) Philippe says: *c'est normal que je sois moins payé.*

(e) When Jackie asks her if she considers she's well paid, Christine says: *à mon point de vue, oui.*

(g) Jean-Jacques says: *il faut être jockey moyen ou bon jockey* (hence *un mauvais jockey* would not earn a lot).

(h) Jean-Jacques says: *ça va... il faut pas demander l'impossible.*

Activité 3

2 Here are the transcripts of the interviews. Your responses are given in bold:

– Quelle est votre profession, s'il vous plaît?

– **Je suis secrétaire.**

– Je peux vous demander votre salaire?

– **Je gagne 8 500 francs par mois.**

– Qu'est-ce que vous faites dans la vie, s'il vous plaît?

– **Je suis dentiste.**

– Vous gagnez combien par mois?

– **Je gagne 39 400 francs par mois.**

– Qu'est-ce que vous faites comme travail, s'il vous plaît?
– **Je suis professeur d'anglais.**
– Vous avez un bon salaire?
– **Je gagne 24 300 francs par mois.**

– Que faites-vous dans la vie, s'il vous plaît?
– **Je suis comptable.**
– Je peux vous demander votre salaire?
– **Je gagne 11 300 francs par mois.**

Activité 5

Here is the transcript of the conversation. Your responses are given in bold:

– Je peux vous poser quelques questions pour notre enquête?
– **Allez-y!**
– D'abord, que faites-vous dans la vie?
– **Je suis attaché(e) de presse.**
– Très bien. Je peux vous demander votre salaire?
– **Je gagne 25 000 francs nets par mois.**
– Merci. Vous trouvez que vous êtes bien payé(e)?
– **À mon point de vue, oui. Mais c'est toujours très personnel.**
– Bien sûr. Mais vous personnellement, vous estimez que c'est suffisant?
– **Oui, ça va, ça me convient.**
– Merci beaucoup.

Activité 6

1 Here are the phrases, correctly matched:

je suis étudiant	I'm a student
école de commerce	business school
je fais du droit	I'm studying law
je fais de l'informatique	I'm studying computing
un stage	a work placement
une étude de marché	a market study
kinésithérapeutes	physiotherapists
experts-comptables	chartered accountants
débouchés	job opportunities

2 You should have completed the form as follows:

Nom:	Philippe Degorce
Établissement:	école de commerce à Angers
Âge:	21 ans
Disciplines étudiées:	le droit, l'informatique, les langues, le marketing, la communication, la comptabilité
Stage effectué dans:	une banque
Activité de stage:	une étude de marché
Personnes interrogées:	les professions libérales – les médecins, les kinésithérapeutes, les infirmières, les notaires, les avocats, les experts-comptables, les architectes
Objectif des questions:	savoir ce que les professions libérales à Angers pensent de la banque
Intentions pour l'année prochaine:	faire une année de spécialisation en communication à Nantes
Salaire bac + 4:	environ 12 000 francs par mois

3 (a) Il est étudiant à Angers.
(b) Il a vingt-et-un ans.
(c) Il en étudie six.
(d) Non, il est en quatrième année.

(e) Il y a les médecins, les kinésithérapeutes, les infirmières, les notaires, les avocats, les experts-comptables, les architectes. (You should have named any four of these seven.)

(f) Il essaie de trouver ce que pensent les professions libérales de la banque.

(g) Il veut faire une année de spécialisation en communication.

(h) Après quatre ans d'études on commence à environ 12 000 francs par mois.

(i) Il trouve que c'est bien.

(j) Ça sera assez facile pour lui de trouver un métier.

Activité 8

3 Your text should now read something like this:

Je viens de passer mon bac et, si tout va bien, je commencerai mes études à l'Ecole Supérieure de Commerce d'Angers en septembre. Par contre, mes deux amis passeront une année en Allemagne pour perfectionner leur allemand. Moi, je mettrai l'accent sur les études de gestion. En première année j'étudierai le droit, l'informatique et l'anglais. En deuxième et troisième année je continuerai ces matières, mais j'étudierai aussi le marketing, la communication et la comptabilité. En quatrième année je trouverai sûrement un stage et je réaliserai un projet de marketing. Je suis quelqu'un de très sérieux et je réussirai, ça c'est sûr. Je gagnerai beaucoup d'argent.

Activité 9

Here is the transcript of the conversation. The words you should have inserted are in bold:

Jean-Philippe	Mon père dit qu'il **ira** en Australie l'année prochaine, et mon frère et moi **irons** avec lui.
Isabelle	Ah bon! Vous **serez** à Sydney?
Jean-Philippe	Oui. Pourquoi?
Isabelle	C'est que mes parents ont des cousins là-bas. Tu penses que ton père **voudra** aller les voir?
Jean-Philippe	Mais bien sûr. Ils habitent à Sydney même?
Isabelle	Non, non. Ils habitent à une vingtaine de kilomètres, à Campbelltown.
Jean-Philippe	Ça ne fait rien. Il **fera** un petit détour.
Isabelle	Il paraît que c'est un peu difficile à trouver, mais je pense que vous **saurez** bien le trouver.
Jean-Philippe	Oh oui.
Isabelle	Vous avez de la chance! Vous **verrez** l'Opéra de Sydney. On dit qu'il est magnifique. L'année prochaine, si j'ai assez d'argent, j'**irai** moi aussi en Australie.
Jean-Philippe	Pourquoi pas? Tu **auras** assez de temps libre?
Isabelle	Oh oui. Je **pourrai** prendre au moins trois semaines de vacances.

Activité 10

Here is the transcript of the conversation. Your responses are shown in bold:

– Quand est-ce que Jean-Paul va pouvoir commencer ses études?
– **Si tout va bien, il pourra commencer ses études en septembre.**
– Et Étienne va faire une année de spécialisation cette année?
– **Non, il fera son année de spécialisation l'année prochaine.**
– Est-ce qu'ils vont venir tous les deux vous voir pour Pâques?
– **Oui, ils viendront pour Pâques.**
– Et vous, combien de semaines de vacances allez-vous avoir cette année?
– **J'aurai trois semaines de vacances cette année.**
– Savez-vous où votre mère va aller cette année pour ses vacances?
– **Oui, elle ira probablement au Canada.**
– Et vous allez être là pour la réunion du 25 janvier?
– **Non, je serai au Japon vers la mi-janvier.**
– Quand est-ce que vous allez connaître la date exacte?
– **Je connaîtrai la date exacte la semaine prochaine.**

Activité 11

1 (a) Si je réussis mes études, je gagnerai plus d'argent.
(b) Si je trouve un emploi, j'achèterai une voiture.
(c) Si j'ai assez de temps libre l'année prochaine, je ferai plus de sport.
(d) S'il est fâché avec vous, je lui parlerai cet après-midi.

2 (a) Si je fais des langues, je trouverai un emploi à l'étranger.
(b) Si je trouve un stage, je pourrai finir mes études.
(c) Si je fais des économies, je pourrai partir en vacances.
(d) Si je finis mes études, je ferai une année de spécialisation.
(e) Si je fais une année de spécialisation, je trouverai un travail bien rémunéré.

Don't forget, it is possible to write these sentences the other way round. For example, the first could be:

Je trouverai un emploi à l'étranger si je fais des langues.

3 It is not possible to give a *corrigé* here because your answers are personal. However, do check that in your answers the verb immediately after *si* is in the present tense, and that the one in the other half of the sentence is in the future.

Activité 12

1 (a) Non, ce ne sera pas trop difficile d'étudier deux langues en même temps.
(b) Oui, c'est difficile de faire du droit.

(c) Non, ce n'est pas toujours très facile de trouver un stage.
(d) Oui, ce sera facile d'analyser les résultats.
(e) Oui, ce sera difficile de faire une année de spécialisation.

Activité 13

2 Here are some translations which you might have given:

un fonctionnaire	a (local) government employee
le secteur privé	the private sector
le travail à la chaîne	assembly-line work
un salaire assez élevé	a fairly high salary
le travail en plein air	outdoor work
un ouvrier saisonnier	a seasonal worker
une entreprise sablière	a sand (and gravel) business
manier un engin	to drive heavy plant (or machinery)
l'entraînement	training

Activité 14

2 The words you should have inserted are given in bold:
(a) Les agents de police sont **fonctionnaires**: ils jouissent d'une grande **sécurité de l'emploi**.
(b) Pour le facteur, la **routine** est un **élément** important.
(c) Le boulanger exerce un métier très dur. Mais il **gagne bien sa vie** et il a la satisfaction de **gérer sa propre entreprise**.
(d) Le viticulteur pense qu'il exerce un **métier intéressant, passionnant même** – un métier qu'il a **appris** de son père.
(e) Le travail à la chaîne demande **une certaine concentration**, **malgré sa monotonie**.
(f) Le travail en plein air demande **d'autres compétences**.
(g) C'est le **PDG de l'entreprise** qui vérifie les quantités de sable.
(h) Le travail de jockey **exige** beaucoup d'entraînement et **beaucoup de talent**.

Activité 15

3 (a) More than two months (*plus de deux mois*).
(b) His wife (*votre femme, ayant ouvert avant vous le courrier...*).
(c) His wife thought that it was a tax refund (*le percepteur doit t'envoyer un remboursement d'impôt*).
(d) Two-thirds of his net monthly salary as a teacher (*elle représente les deux tiers de votre rémunération nette mensuelle de maître-auxiliaire*).
(e) Over seventy hours (*tu travailles plus de soixante-dix heures par semaine*).

(f) He gets less than a bus driver or a cleaning lady (*tu n'as pas la paie d'un chauffeur d'autobus. Même ma femme de ménage est mieux payée que toi*).

(g) He thought he would have time to spend with his wife and help her in the home (*vous seriez tout à elle…; vous lui aviez laissé croire que vous alliez faire le ménage, passer l'aspirateur, etc*).

(h) No, quite the opposite – his mind is on his work only, he's become untidy and has no time for his family (*c'est tout le contraire qui arrive. Vous êtes totalement absent mentalement…; vous salissez la maison en éparpillant les copies…; vous supportez de plus en plus mal vos propres enfants*).

(i) For that money it would be more fun to be a bus driver (*pour 6 000 balles par mois… vous pourriez conduire effectivement un autobus en y prenant du plaisir*).

Activité 16

1 (a) The main tense used is the present, even though the writer is talking about something that happened in the past. This is done to make the narration of this event more lively and immediate.

(b) His wife's attitude is one of disparagement, if not contempt, which adds a further wry note (*Ma femme de ménage est mieux payée que toi*).

The writer's attitude towards his wife is one of reluctant recognition that she is right and that he has made a big mistake, which is another source of comedy (*Hélas! elle a raison*).

(c) Yes, the text contains several lines of dialogue distributed fairly evenly through it and this helps to create interest and dramatic effect.

2 Some of the things you might have noted are:

lines 1–7: The two ways of emphasizing are: (a) beginning the first sentence with *voici plus de deux mois que…* (the writer could have-said *vous travaillez consciencieusement depuis plus de deux mois*) and (b) *vous vous demandez si vous êtes* ***bien*** *enregistré.*

lines 8–16: The contrast between the wife's assumption (tax refund) and the reality of the situation (2/3 of net monthly salary).

lines 15–20: Humorous exaggeration: that day his wife counts quicker than a maths teacher (*qui calcule ce jour-là plus vite qu'un professeur d'arithmétique*).

lines 21–29: An example of comic contrast is that between hours and pay of a teacher and those of a bus driver and or a cleaner.

lines 26–32: *ce qui vous chagrine le plus, c'est que…* (what upsets you most is that…)

lines 33–38: *comme jamais vous n'en aviez eu* instead of the more usual *comme vous n'en aviez jamais eu.* This is done for emphasis.

lines 45–48: The sentence says in effect that for the same money it's more fun driving a bus than being a teacher. The humour arises out of a surprising and unfavourable comparison of teaching and bus driving.

Activité 17

2

an office worker	*un employé, une employée*
a semi-skilled worker	*un ouvrier spécialisé, une ouvrière spécialisée*
an executive	*un cadre*
an unskilled worker	*un manœuvre*
a foreman	*un contremaître*
a technician	*un technicien, une technicienne*
a skilled worker	*un ouvrier qualifié, une ouvrière qualifiée*

Note that there are a number of possible translations of *cadre.* It is a difficult word to translate into English because jobs in the UK are not categorized in the same way as in France. *Un cadre* can be an executive, a manager, or someone with a technical job such as an engineer. You should also note the term *cadre supérieur* which is applied to higher status positions.

3 (a) The number of blue-collar jobs has declined relative to the numbers of white-collar jobs, which are on the increase.

(b) It is a prestigious job title that often implies higher salary and better pension rights.

Activité 18

2 Here are the definitions, with the missing phrases given in bold:

(a) Le cadre, c'est celui ou celle qui **reçoit délégation de pouvoirs de la part de la direction**.

(b) Le cadre, c'est quelqu'un qui **communique et qui prend des décisions**.

(c) Le cadre, c'est un homme ou une femme de l'entreprise qui **a des responsabilités de gestion et d'animation**.

Activité 19

1 You should have used all four of the structures you have learned but it doesn't matter in which order. Examples of what you might have said are given in bold:

Enquêteur	Qu'est-ce que c'est qu'un viticulteur?
Vous	**Un viticulteur, c'est quelqu'un qui fait du vin.**
Enquêteur	Qu'est-ce que c'est qu'une ouvrière?
Vous	**Une ouvrière, c'est une femme qui exerce un métier manuel.**
Enquêteur	Qu'est-ce que c'est qu'un facteur?
Vous	**Un facteur, c'est une personne qui travaille pour la poste et qui apporte les lettres chez les gens.**
Enquêteur	Qu'est-ce que c'est qu'un boulanger?
Vous	**Un boulanger, c'est un homme qui fait du pain.**

Enquêteur Qu'est-ce que c'est qu'un stagiaire?

Vous **Un stagiaire, c'est quelqu'un qui fait un stage de formation.**

2 Again, several definitions are possible and it doesn't matter in which order you use the structures. The following are possibilities:

(a) Un ouvrier qualifié, c'est quelqu'un qui exerce un métier manuel. Il a une formation professionnelle.

(b) Une employée, c'est une femme qui fait un travail non-manuel. Bien souvent elle travaille dans un bureau.

(c) Le PDG, c'est celui qui gère l'entreprise. Il a beaucoup de responsabilités.

(d) Un jockey, c'est une personne qui monte les chevaux dans les courses. S'il gagne la course, il gagne beaucoup d'argent!

Activité 20

2 (a) Director of central servicing laboratory for Hewlett-Packard-France (*Directeur du laboratoire central de maintenance de Hewlett-Packard-France*).

(b) Twenty three years (*où il est resté vingt-trois années*).

(c) Sixty engineers (*soixante ingénieurs sous sa responsabilité*).

(d) A mine explosion at the age of twenty four in which he nearly died (*un coup de grisou a décidé son destin. À vingt-huit ans, Roger Vidal a frôlé la mort*).

(e) Electronics; night school and correspondence courses (*Cours du soir, école par correspondance. Roger se lance dans... l'électronique...*).

(f) His determination to sleep only five hours a night and work sixteen hours a day (*ne dormir que cinq heures par nuit... travailler seize heures par jour*).

(g) Cycling for forty five minutes every day, gardening, cooking (*il fait quarante-cinq minutes de vélo... il cultive son jardin potager et cuisine lui-même le repas...*).

(h) That junior managers are hard to please (*Une seule chose le chagrine... c'est quand les jeunes cadres font les difficiles*).

Activité 21

1 Because the paragraph divisions are not clearly marked, there is room for disagreement. Here are some suggested divisions:

line 15: ... *américain.*

line 40: ... *n'en décolère pas.*

line 51: ... *par jour.*

line 69: ... *de si tôt.*

line 81: ... *en somme.*

2 A summary is bound to be a rather personal exercise. Different people will have different ideas about what is important and how best to summarize it. What follows is just a suggestion and is not to be taken as a definitive version:

Having started in the mines at the age of seventeen, Roger Vidal is now, at fifty seven, head of the central servicing laboratory at Hewlett-Packard-France with a staff of sixty engineers. (para 1)

It was a mining accident when he was twenty four which made him decide to change career, embarking upon several years of evening classes and correspondence courses in electronics, a subject for which he had been declared unsuitable. (para 2)

The secret of his long, slow rise was his determination to manage on only five hours sleep a night, and even today he works long hours. In three years time he will retire, but already he is planning his third career. If there is one thing which upsets him about today's young managers, it's their reluctance to 'get stuck in'. (paras 3, 4 and 5)

(127 words)

Activité 22 2

the law lays down equal pay	*la loi impose l'égalité des salaires*
who checks that the law is being enforced?	*qui surveille l'application de la loi?*
overworked	*débordée* (Mme Le Beugle is talking about *l'Inspection du Travail*, and *inspection* is a feminine noun)
lacks staff	*manque de salariés*
the trade unions	*les syndicats*
that's the problem	*le problème est là*

Activité 23 As with *Activité 20*, what follows is just an example of what you might have written. It isn't a definitive version:

- Below executive level, women are generally paid 30% less than men with the same qualifications.
- Even though the law lays down equal pay for women, the responsibility for enforcing it lies with the factory inspectorate, which is overworked and understaffed, and the trade unions which are run by men.
- It's true that women are in part to blame for the situation, but it's very difficult for women in employment to find the time or the energy to defend their own interests, on top of all they have to do in running a home and bringing up a family.

Activité 24

2 Four main reasons are put forward to explain the discrepancy between the salaries of men and women:

- De façon générale, les femmes occupent des postes de qualification inférieure à ceux occupés par les hommes.
- Elles effectuent des horaires plus courts, avec moins d'heures supplémentaires.
- Elles bénéficient d'une ancienneté moyenne inférieure à celle des hommes.
- Elles occupent souvent dans chaque catégorie les postes à moindre responsabilité.

4 Here is an example of what you might have written:

Selon Mme le Beugle, les principales raisons de l'écart entre les salaires des femmes et des hommes reposent sur le fait qu'il est difficile à l'Inspection du Travail et aux femmes de faire appliquer la loi; elle pense également que les syndicats sont peu disposés à défendre les droits des femmes.

Pour l'auteur de l'article, par contre, les femmes sont, de façon très générale, moins qualifiées, elles font moins d'heures de travail et elles ont moins de responsabilités.

(80 words)

Activité 25

1 The four demonstrative pronouns are shown in brackets and in italic in the translations below.

2 Possible translations are:

(a) Generally speaking, women still occupy posts requiring lower qualifications than those (*ceux*) occupied by men, even when the duties are the same.

(b) They work shorter hours than those (*ceux*) worked by men and do fewer hours overtime. (Notice here how in the English we could use a shorter structure that avoids the use of the demonstrative, i.e. 'they work shorter hours than men', in French the demonstrative is needed.)

(c) Finally, their average length of service is shorter than that (*celle*) of men. (A shorter English structure could again be used, 'is shorter than men's'.)

(d) We can see that, if women earn on average a quarter less than men (23%), the latter (*ceux-ci*) earn a third more (31%) than their wives, that's the magic of figures. (Note that the demonstrative pronoun + *-ci* can often be translated as 'the latter' in English. Similarly the demonstrative + *-là* can often be translated as 'the former'.)

Activité 26

2 The three verbs are interchangeable. The expressions you might have used are given in bold:

> **D'abord, on constate que** depuis 1951, la différence de salaire entre les hommes et les femmes a tendance à diminuer de façon lente et régulière. **On s'aperçoit également que** chez les ouvrières, l'écart s'est creusé entre 1950 et 1967, puis il a diminué de 1968 à 1975 pour retrouver le niveau de 1950. **Ensuite on note que** chez les cadres supérieurs, la tendance au redressement est apparue plus tôt (vers 1957), mais elle a été stoppée dès 1964. **Enfin on constate que** le resserrement général qui s'est produit à partir de 1968 est dû principalement au fort relèvement du SMIG, puis du SMIC et des bas salaires, qui a profité davantage aux femmes.

Activité 27

Profession	*% de femmes*	*% de femmes 'cadres'*
Militaires	3.02	1.69
Infirmières	90	27
Universitaires	(assistants) 31 (maîtres de conférences) 35	9
Juges	40	7
Chercheuses	(CNRS) 33.3 (INSERM) 50	20

Note: the figure of 1.69% for *militaires* has to be worked out from the given data: 322 women officers out of a total of 19,051.

Activité 28

This is another exercise where several different versions are possible. The following is offered as a guide:

> En ce qui concerne le niveau de formation des jeunes filles, on peut dire, de façon générale, qu'il est plus élevé que celui des garçons, au moins jusqu'à la fin du second cycle (trois ans d'enseignement supérieur).
>
> Malgré cela, 54% des chômeurs sont des femmes, et même quand elles ont un emploi elles ont un salaire moyen inférieur au salaire moyen masculin.
>
> Quant aux femmes cadres, elles sont nettement minoritaires, même dans les professions où les femmes sont largement majoritaires.
>
> La principale conclusion qu'on peut en tirer, c'est que dans le domaine de l'emploi en France les femmes sont en général défavorisées par rapport aux hommes.

Activité 29

c'était très, très mal vu	it was very badly received
vous avez fait remarquer la chose?	did you comment on it?
d'après vous	in your opinion
on m'a traitée d'horrible syndicaliste	they called me a union militant*
les femmes ont de quoi être satisfaites?	have women reason to be satisfied?
une femme qui avait absolument besoin de ce salaire	a woman who really needed the income
c'était très net	it was very clear
j'ai vite claqué la porte	I walked out

* The word *horrible* adds extra emphasis to the reported insult but does not lend itself easily to being translated in this context.

Activité 30

1 800 francs
2 moins grand
3 200 francs
4 Il l'a traitée d'horrible syndicaliste.
5 Elle est partie (elle a claqué la porte).
6 Elle n'est pas satisfaite du tout.

Activité 31

1 D'après Mme Le Beugle, les femmes sont en général payées trente pour cent de moins que les hommes, malgré la loi qui impose l'égalité des salaires.
2 Pourtant, on s'aperçoit que, de façon générale, les femmes occupent des postes de qualification inférieure à ceux occupés par les hommes. (Note that English 'can' is not translated with verbs of seeing, hearing etc: 'I can see that...' (*je vois que...*); 'can you hear it?' (*tu l'entends?*))
3 On note même que 54% des chômeurs sont des femmes.
4 Au niveau de l'encadrement il y a toujours plus d'hommes que de femmes, même dans les professions où les femmes sont majoritaires.
5 En règle générale, les femmes n'ont pas de quoi être satisfaites des salaires qu'elles reçoivent.

Section 2

Activité 32

2

au lendemain de	shortly after
la direction	the management
un adhérent	a member
à quelques exceptions près	apart from a few exceptions
unique	only
un retraité	a pensioner

3 (a) Immediately after the Second World War, in companies employing more than fifty people.

(b) To provide a forum where management could inform employees of the economic progress of the company and consult them on future plans.

(c) To provide various social activities for employees.

(d) It enables the employees to feel a part of the company and to play a role in its development.

(e) In most cases, the *comité d'entreprise* has little or no consultative function with management and is reduced to organizing social activities.

Activité 33

2 You should have ticked:

(a) 2 100 personnes

(b) les familles des salariés et les retraités

(c) 8 000 personnes

(d) des séjours à la neige

(e) bénéficie d'une subvention

(f) les retraités reçoivent un colis (The parcel in question is a small hamper of food. Note that the second answer is not correct since the celebratory meal is offered to the retired employees, not to the existing employees.)

Activité 34

Here is the transcript of the conversation. Your responses are given in bold:

– Voilà, nous avons une liste d'activités très variées, des activités que je peux vous recommander entièrement.

– **Oui, ça m'intéresse.**

– Comme vous voyez, notre première activité de l'année, ce sont les vacances de sports d'hiver en février. Ça vous plaît, les sports d'hiver?

– **Oui, ça me plaît beaucoup.**

– Cette année ce sera à Tignes. Est-ce que ça vous intéresse de participer à ce séjour? Vous pourrez profiter d'une subvention. Ça vaut la peine, je vous assure.

– **Oui, je veux bien.**

– Parfait. En mars, nous proposons à tous nos adhérents de participer à un concours de pêche. Vous aimez la pêche?

– **Non, malheureusement, ça ne m'intéresse pas. Je préfère le golf.**

– C'est dommage. C'est une journée très agréable. Mais si vous préférez le golf, nous réalisons aussi des concours de golf. Le prochain concours aura lieu le 18. Ça vous dit?

– **Je regrette, je ne peux pas le 18 parce que je dois aller à Angers.**

– Il y a aussi un concours de boules chaque dimanche – c'est très amusant et il y a toujours beaucoup de monde. Vous voulez venir dimanche prochain?

– **Oui, volontiers.**

– Le grand événement de l'année, ce sont les vacances d'été. Cette année, c'est deux semaines dans le Midi, à Fréjus. Nous pouvons accorder une subvention à tous les participants.

– **Je suis désolé(e), je ne pourrai pas parce que je vais passer mes vacances d'été en Grèce.**

Activité 35

Here is the transcript. The phrases you should have inserted are shown in bold:

> Je, je ne suis pas le chargé des relations sociales, **donc je parlerai comme** simple citoyen de l'entreprise. Je dirai seulement qu'ici, **la première place**, **c'est celle du dialogue, de la concertation. Et pour moi qui ai vécu dans d'autres entreprises où il n'y avait pas ce style de relations**, où tout était systématiquement conflictuel, je puis **vous assurer que ça aussi**, ça contribue au, à la **qualité de vie au travail, car les relations sont vraiment très différentes, très constructives et ainsi cela crée un, un climat tout à fait** différent de ce que l'on peut **connaître dans d'autres entreprises** en France.

Activité 36

2 The advantages listed in the brochure are:

- Access to information (*vous avez droit à une information*).
- Legal aid (*vous avez droit à une défense juridique*).
- Participation in union affairs (*vous avez le droit de participer à la vie syndicale*).
- Access at all times to union premises (*vous avez le droit d'accès permanent au local syndical*).

- Training in union business (*vous avez droit à une formation syndicale*).
- Membership of a consumers' organization (*vous avez droit aux services d'une association de consommateurs*).
- Tax allowance on union dues (*la cotisation syndicale réduit vos impôts*).

Activité 37

Here are the complete dialogues. Your responses are given in bold:

1 – Il y a combien de délégués syndicaux dans l'atelier?
– **Je ne sais pas combien il y en a.**

2 – Vous pouvez me parler des nouveaux contrats?
– **Non, je n'ai pas le temps, je vous en parlerai demain.**

3 – Est-ce qu'il y a eu des grèves dans ce secteur de l'industrie.
– **Il y en a eu une seulement, il y a cinq ans *or* il n'y en a eu qu'une, il y a cinq ans.**

4 – Est-ce que le PDG connaît tous les employés ici?
– **Non, il n'en connaît que quelques-uns.**

5 – Il y a combien de cadres dans le bureau d'études?
– **Il y en a une cinquantaine.**

Activité 38

2 Many versions are possible. Here is an example of what you might have written:

À mon avis, il est très important d'avoir droit à une information, car si on est bien informé on peut participer plus efficacement à la vie syndicale et à la vie de l'entreprise. J'estime également qu'il est essentiel de bénéficier d'une défense juridique. Finalement, avoir accès au local syndical est très agréable.

(52 words)

Activité 39

2 A possible summary could be as follows:

The employer decided to reduce the salaries of his employees by 20% on the grounds that they were over-qualified for the work they were doing. The workers could either accept the decision or refuse, which meant dismissal.

The workers decided on selective strike action, but their employer reacted by imposing a lock-out.

(53 words)

Activité 40

2 Again, there are no absolutely right answers. Here is one possible version:

Ce qu'il faut savoir en plus, c'est que le patron a aussi envoyé des lettres de licenciement à cent onze de ses salariés. Son objectif était de réembaucher d'autres travailleurs qu'il payerait vingt pour cent moins cher.

On peut dire que c'est le tribunal des prud'hommes qui a enfin résolu le conflit en donnant tort au patron et en le condamnant à payer à chaque salarié licencié la valeur de six mois de salaire.

Malgré cela, il me semble que nous n'avons pas gagné, car la plupart de ces salariés n'ont pas réussi à retrouver d'emploi.

Activité 41

2 You should have ticked (c). If you ticked (b), you were almost right, because Isabelle does say *on travaille dans des conditions parfois très, très dures...*, but the core of what she is saying is that they are very understaffed.

Activité 42

Some variation is possible in this exercise because you have learned several ways of agreeing and disagreeing. Here is the transcript of the conversation with your responses shown in bold:

– Les conditions de travail, ici, c'est l'enfer!

– **Oui, c'est vrai, c'est quelquefois très dur.**

– Et ça crée des difficultés dans nos relations avec les malades.

– **Oh non, je ne suis pas vraiment d'accord. À mon avis, les relations sont toujours bonnes.**

– Tu ne trouves pas quand même qu'on a souvent l'impression de faire du mauvais travail?

– **Oh oui, là je suis entièrement de ton avis.**

– C'est dommage parce que ça dégoûte un peu de la profession.

– **Oui, c'est dommage, je suis tout à fait d'accord.**

– Les syndicats vont s'en occuper. Ça va changer beaucoup de choses.

– **Mais non. Ça ne changera rien.**

– Mais si. Ils augmenteront les effectifs. Et ça nous facilitera le travail.

– **Tu as peut-être raison.**

Activité 43

The missing words are given in bold:

D'abord, je dois dire que j'étais tout à fait d'accord pour nous mettre en grève. Pourquoi? **Parce que** je considère que nous travaillons souvent dans des conditions très dures et que c'est **surtout** le manque d'effectifs qui rend notre situation si difficile.

Ensuite, il faut reconnaître que la première conséquence de ce manque d'effectifs, **c'est que** la relation avec les malades est en quelque sorte gâchée. Et ça c'est vrai **dans la mesure où**, même si l'on fait les soins techniques, le côté relationnel a tendance à être un peu délaissé.

Enfin, **pour moi** personnellement, **je dirais seulement** que j'ai souvent l'impression de faire la course contre la montre, **car** on a tout simplement trop de travail. **Donc**, **par rapport à** ce que l'on nous enseigne à l'école, notre travail est souvent mal fait et ce sont les malades qui en subissent les conséquences.

Section 3

Activité 44

1 (a) supporter
(b) une agence d'intérim
(c) une réponse à une annonce
(d) c'est rassurant
(e) c'est gentil
(f) embaucher
(g) des gens au chômage

2 You should have chosen the following:
(a) it's a vicious circle
(b) you withdraw into yourself
(c) to be a fighter
(d) you keep going
(e) you wander aimlessly

Activité 45

This is how you might have answered:

(a) He avoided people, which was foolish because he should have been contacting as many people as possible in order to increase his chances of finding a job.

(b) On Mondays he reads the job adverts in *Le Figaro,* on Tuesdays and Wednesdays he goes to the meetings at the ANPE, and on Thursdays he does the rounds of the temporary job agencies. Friday seems to be an empty day.

(c) He leaves the house every morning at 8 a.m. and tries to organize his day according to a pattern: read the newspaper, answer advertisements, go to meetings.

(d) He walks around the town.

(e) By providing telephones free of charge.

(f) He is never told why he is turned down.

(g) The fact that he's too old.

Activité 46

1 (a) C'est très difficile de trouver un emploi après un an de chômage.
(b) Le plus dur, c'est le week-end.
(c) Ce n'est pas facile du tout de rester actif.
(d) Le plus difficile, c'est d'occuper son temps.
(e) C'est trop dur de ne rien trouver.

Activité 47

2 This is what the full text of the dialogue might look like. Your responses are shown in bold:

Chômeur	Excusez-moi, qu'est-ce que je dois faire pour m'inscrire à l'ANPE, s'il vous plaît?
Vous	**Vous pouvez aller soit à l'agence locale de l'ANPE, soit à la mairie.**
Chômeur	Qu'est-ce qu'il faut que j'apporte avec moi?
Vous	**Vous avez besoin d'une pièce d'identité et, si vous êtes étranger, du titre qui vous autorise à rechercher un emploi en France.**
Chômeur	C'est tout?
Vous	**Vous avez besoin aussi de vos certificats de travail, de vos attestations de formation, de vos diplômes et de votre curriculum vitae.**
Chômeur	Il y a une fiche à remplir?
Vous	**Oui. Vous devez préciser l'emploi recherché, le lieu, les horaires, votre expérience et votre formation.**
Chômeur	Je pourrai parler à quelqu'un?
Vous	**Oui. Vous rencontrerez un conseiller.**
Chômeur	Merci beaucoup.

Activité 48

2 All the statements are true except:
(b) He hopes that it's all complete, but he isn't sure (*j'espère que tout est complet*).
(c) He offers his driving licence (*un permis de conduire vous suffira?*).
(g) He has approximately twenty years of professional experience (*approximativement vingt ans, oui*).

Activité 49

Here is the transcript of the conversation. Your responses are given in bold:

– Bonjour, monsieur?
– **Je voudrais m'inscrire comme demandeur d'emploi, s'il vous plaît.**

– Alors, qu'est-ce que vous cherchez comme travail?
– **Je souhaiterais trouver un emploi de journaliste.**
– Est-ce que ça vous intéresse aussi un poste d'attaché de presse?
– **Oui ça m'intéresse, éventuellement.**
– Comme secteur géographique, qu'est-ce que vous voulez?
– **Je voudrais la Bretagne.**
– Comme vous le savez, il y a une formation obligatoire. Qu'est-ce que vous choisissez comme stage?
– **Je souhaiterais faire un stage en informatique.**
– Il faut que vous voyiez le chargé d'information. Vous préférez quel jour pour le rendez-vous?
– **J'aimerais bien le voir demain.**
– Bien, je m'occupe de tout ça.

Activité 50

2 Your answers may have been something like this:

(a) She was looking for a job as a sales assistant, went into a shop and asked if they had a vacancy.

(b) He was an HGV driver and heard from a friend that a company had a vacancy.

(c) She answered a job advertisement in a newspaper.

(d) The *marché caché* refers to those jobs that are not advertised but which people hear about by direct inquiry or through contacts.

(e) The *marché ouvert* refers to jobs that are advertised in newspapers or elsewhere.

(f) The *marché caché* is the more important since about 60% of vacancies are filled in this way.

3 Here is a model answer writen by a man (bracketed word and letters show how a woman would have written it):

J'ai trouvé mon premier emploi à l'âge de dix-huit ans. Je cherchais un poste de vendeur (vendeuse), et je lisais tous les journaux, sans succès. Un ami m'a conseillé de m'adresser directement aux grands magasins. Je suis allé(e) à Monoprix et là j'ai parlé avec un responsable. Il m'a dit qu'en effet il y avait un poste à remplir. J'ai eu un entretien et on m'a embauché(e) immédiatement.

Activité 51

2

(a) *but de la lettre?*	to obtain an interview
(b) *pourquoi écrire une lettre?*	because more than a third of job offers result from an unsolicited letter
(c) *première chose à faire avant de rédiger la lettre?*	select the companies in the employment sector you're interested in

(d) *la lettre: introduction?*	must be direct, personal and original in order to capture the reader's interest straightaway
(e) *partie principale?*	highlight those aspects of your professional experience likely to interest the company you're writing to
(f) *conclusion?*	end optimistically and ask for an interview
(g) *rédigée comment?*	must be handwritten, not photocopied, on a single sheet (21 x 29.7cm) without any crossings-out or spelling mistakes
(h) *à qui l'envoyer?*	in the case of small and medium companies, send it to the managing director; in the case of large companies, send it to the personnel director or to the head of the department where you would like to work
(i) *si votre lettre reste sans réponse?*	after about three weeks, contact the person you wrote to again

Activité 52

2 Here are some of the things you might have noted:

- Société Interloc is large company and letter is addressed to director of personnel.
- Introduction is direct, personal and original.
- Explains object of letter and highlights writer's professional experience likely to be of interest to company.
- Ends optimistically with request for interview.

Activité 53

There are of course many possible correct answers. Here is just one.

Robert Harsant
12 Milton Close
Bransworthy
Herts
SN4 3EH

Monsieur le Directeur du Personnel
Société Jardinex
106, boulevard Victor
16480 Brossac

le 27 octobre 1993

Objet: demande de poste dans votre service export

Monsieur,

Après avoir passé deux ans en Espagne où j'ai travaillé comme représentant pour une société anglaise qui se spécialise dans le matériel de camping, je me permets de vous écrire pour solliciter un poste dans votre société.

Si je m'adresse d'abord à la Société Jardinex, c'est parce que je sais que vous êtes une société importante qui exporte beaucoup en Espagne, ainsi qu'en Italie.

De nationalité britannique et parlant couramment l'espagnol, l'italien et le français, je me permets donc de vous envoyer mon curriculum vitae et d'attirer votre attention sur ma solide formation en marketing international et sur mes trois années d'expérience professionnelle en Europe.

Je souhaiterais avoir la possibilité d'explorer avec vous une orientation de carrière qui me permettrait de développer mes compétences et de les mettre au service de votre entreprise.

Espérant que vous m'accorderez un entretien, je vous prie de croire, Monsieur, à l'assurance de mes salutations distinguées.

Robert Harsant

Activité 54 2 (a)

- Find out as much as you can about the company.
- Re-read the advertisement and prepare what you are going to say about yourself that will be of particular interest to the company.

(b) Any two of the following:

- Your CV.
- The correspondence you've had with the company.
- Your 'attestation of employment' (i.e. documentary evidence of previous work experience) or your certificates and diplomas.
- A notepad.

(c) Most questions are about your previous experience, your reasons for applying for the job and the training you have had.

(d) Make a note of the main points which came up, the questions which caused you difficulties and those which gave you a chance to show off your good points.

(e) The four main types of interview are:

- The single interview, where you are in a one-to-one situation.
- The jury, where you face a panel of interviewers.
- Successive interviews, where you meet a number of interviewers one after the other.
- Group interviews, where several candidates are interviewed as a group and have to discuss the job being offered.

Activité 55

2 (a) There are several details in the article which show that disabled people are still having difficulty in finding a job:

- The case of the twenty eight year-old muscular dystrophy sufferer who had to go through three years of legal proceedings before being granted the right to a teaching post.
- The fact that a third of employers prefer to pay into a fund rather than employ disabled people.
- The fact that the state only employs about 3.3% of disabled people.

(b) The article states that the law requires all companies having at least twenty employees to have a minumum of 6% of disabled people on their staff; the article suggests that the law is not in fact adequately protecting the interests of the disabled.

(c) A disabled person is defined as anyone whose possibilities of obtaining or keeping a job are effectively reduced through mental or physical incapacity.

Activité 56

Again, there are many possible correct answers. Here is one version:

L'article de Courrier Cadres sur les devoirs des entreprises cite deux exemples de personnes handicapées ayant eu des difficultés à obtenir ou conserver un emploi.

Un jeune homme de vingt-huit ans qui voulait être enseignant a dû passer par trois années de procédure pour obtenir le droit d'accéder à un poste. Une jeune hôtesse d'accueil a été licenciée par son employeur parce qu'elle portait une prothèse à l'avant-bras.

À mon avis, ces deux exemples montrent combien il est difficile pour les handicapés de s'intégrer dans le monde du travail. Je suis d'accord qu'il n'est pas toujours facile pour les employeurs d'embaucher des handicapés, mais je suis convaincu(e) qu'il faut avant tout essayer de changer les attitudes.

Car si les employeurs et les employés non-handicapés persistent dans leur attitude, il me semble que les handicapés continueront à avoir d'énormes difficultés à trouver du travail.

(144 words)

Activité 57

2 The versions given here are modelled closely on the text, with the missing phrases in bold, but they don't have to be (except in the case of (a)). Making the same points using different words is just as good.

(a) Les femmes représentent **55**% des chômeurs.

(b) Les femmes ont de la difficulté à trouver un emploi parce qu'**elles sont mal qualifiées**.

(c) Les femmes ne sont pas intéressées par les formations qui leur sont proposées quand elles sont jeunes parce que **ces formations sont plus techniques et que les femmes ont tendance à vouloir toutes être secrétaires, infirmières, vendeuses, ou s'occuper d'enfants.**

(d) Même si tous les métiers sont ouverts aux femmes, leurs éventuels collègues masculins **sont peu disposés à accueillir des femmes.**

(e) Les entreprises ont tendance à préférer embaucher un homme parce qu'**on a peur qu'une femme soit moins qualifiée, parce qu'on sait qu'elle va avoir des enfants.**

Activité 58

2 You could have written something like this:

Il faut reconnaître que les femmes sont plus touchées par le chômage que les hommes – environ 55% des chômeurs sont des femmes.

Quelles sont les raisons de cette inégalité? D'abord, elles ont tendance à être moins qualifiées que les hommes. Cela ne veut pas dire qu'elles n'ont pas de qualifications, mais simplement que leurs qualifications sont dans des secteurs où il n'y a plus d'emplois.

Ensuite, de façon générale les femmes ne sont pas intéressées par les formations techniques qui leur sont proposées. Elles préfèrent être secrétaires, infirmières, vendeuses ou s'occuper d'enfants.

Enfin, l'attitude des entreprises et des hommes envers les femmes compte pour beaucoup dans cette inégalité. On sait, par exemple, qu'une femme va être absente pour congé de maternité.

Donc, pour toutes ces raisons, les entreprises ont tendance à préférer embaucher des hommes.

(136 words)

Activité 59

Here is the transcript of the conversation. Your responses are shown in bold:

– Alors, vous êtes au chômage depuis deux mois?
– **Oui, tout à fait.**
– Bien. Je vois d'après votre dossier que vous avez travaillé comme comptable.
– **Oui, j'ai eu deux emplois comme comptable. Le premier était à la société Jardinex.**
– Pourquoi avez-vous quitté ce poste?
– **Ils m'ont licencié(e).**
– Oui, et le deuxième. Vous avez aussi été licencié(e)?
– **Non, j'ai décidé de quitter cet emploi.**

- Pourquoi?
- **Parce que les conditions de travail étaient mauvaises.**
- C'est très bien. Alors, qu'est-ce que vous souhaiteriez comme emploi?
- **Un emploi de comptable de nouveau, si possible.**
- Et comme région, qu'est-ce que vous voudriez?
- **Je voudrais soit l'Île-de-France soit la Normandie.**
- À mon avis, le marché de l'emploi, dans certains secteurs, va devenir encore plus difficile avant la fin de l'année.
- **Je sais que la situation économique est très difficile en ce moment.**
- Tout à fait.
- **Il y a beaucoup de licenciements et il n'y a pas beaucoup d'entreprises qui embauchent.**
- Ce n'est vraiment pas facile du tout. Mais nous allons faire de notre mieux pour vous trouver un emploi le plus rapidement possible.

Acknowledgements

Grateful acknowledgement is made to the following source for permission to reproduce material in this book:

Text

p. 30: 'Le reconverti', *L'Expansion*, Vol. 4, 17 June 1992; p. 34: Mermet, G. (1989), 'Les femmes encore sous-payées', *Francoscopie*, courtesy of Larousse; p. 37: 'Chiffres de femmes', *Le Point*, No. 867, 1 May 1989; p. 50: 'Adhérent', *Bienvenue*, CFDT, Paris; p. 64: Miekuz, N. (1991), 'Six ans de chômage jour après jour', *Libération*, 19 November 1991, © Libération; p. 68: 'S'inscrire à l'ANPE vos obligations', *L'ANPE et Vous – Rechercher un Emploi*, April 1992, Agence Nationale Pour L'Emploi; p. 74: 'La lettre de candidature spontanée', and 'L'entretien d'embauche', *Recherche D'Emploi*, Agence Nationale Pour L'Emploi; p. 80: Colbrant, B. (1992), 'Travailleurs handicapés: les devoirs des entreprises', *Courrier Cadres*, No. 974, 26 June 1992, APEC, Paris.

Photographs

p. 27: Tony Stone Images.

Our thanks to Mrs. Christine Planton for loan of the jockey's cap used on the cover. Cover photograph by David Sheppard.

This book is part of L120 *Ouverture: a fresh start in French.*

Cadences

1 L'année mode d'emploi
2 Le temps libre et le temps plein
3 Vivre en collectivité
4 Vivre la nuit

Valeurs

1 Marketing et consommation
2 Gagner sa vie
3 Douce France?
4 La qualité de la vie

The two parts of the course are also sold separately as packs.

L500 *Cadences: update your French*

L501 *Valeurs: moving on in French*